「これから」の人生が楽しくなる！

Start tidying up your precious things
in the way that suits you best

60歳からの「紙モノ」整理

実家片づけ整理協会代表理事
渡部亜矢

青春出版社

はじめに

あなたは「紙モノ」が好きですか？

この本でいう「紙モノ」とは、毎日のようにやってくるレシート、郵便物、チラシから、本、雑誌、新聞などの情報に関する紙類、手帳や日記、写真などの思い出類、さらには通帳や保険証券、土地の権利証といった金銭的な価値のある重要書類などです。

ＳＮＳや動画などのインターネットコンテンツがあふれかえっているご時世に、本を手にとってくださったということだけでも、あなたはおそらく「紙モノ好き」の仲間。きっと、集めた資料やお金に関する書類などが、一度はあふれかえって悩んだ経験があるのではないでしょうか。

こうした「紙モノ」の整理が難しいのは、１００人いれば１００通りの「好き」や「思い出」があり、また資産状況などがそれぞれ違うからです。さらに自分ではコントロールできない家族などの問題が、ミルフィーユのように折り重なり、複雑になっています。

本書は、そんな人生後半のもつれた糸を解きほぐす、２つの「楽」――「らく」して「たの」しく日々を過ごすための、ありそうでなかった暮らしのヒント集です。おしゃれな収納を目指す片づけ術とはまったく違う、片づけに興味がある・なしに関係なく、多くの方に取り組んでいただきたいことなのです。

60歳は、人生の節目であると同時に、自分や家族だけでなく、実家の親のことも気になり始める年齢です。そこで本書では、自宅はもちろん、実家の「紙モノ」整理についても解説しています。ファイリングや書類整理の本はたくさんありますが、自宅と実家の「紙モノ」を同時進行で整理する方法が記されている、おそらくはじめての本になると思います。

実家の「紙モノ」整理をすることは、自身の老いをシミュレーションすることにもなります。実家の「紙モノ」整理のテクニックは、すでに実家じまいがすんでいる人も、先々の自分自身の「紙モノ」整理をする際に役立つことでしょう。

億劫《おっくう》だからと先のばしにしてきた「紙モノ」整理に、60歳という補助線を入れてみると、大切なことが見えてきます。

自分の過去と「これから」に向き合い、自分をもっと好きになるプロセスである、新しいライフイベントとして、楽しみながら「紙モノ」整理を進めていきましょう。

目次

4章 財産の「見える化」で不安が消える！「お金モノ」の整理

本書で紹介している情報は、2023年5月現在のものです。
今後、法律やサービスが変わることもありますので、最新情報を確認してください。

本文イラスト 富永三紗子
本文デザイン 新井美樹

1章

片づけで一番大切な
60歳からの
「紙モノ」整理

60歳からの「紙モノ」整理をすすめる理由

私は片づけのセミナーを行ったり、さまざまなお宅に伺い、片づけのお手伝いを行ってきました。その際、片づけに関する相談を受けることがよくあります。

なかでもみなさんが頭を悩ませているのが「紙モノ」です。

毎日ポストに舞い込む郵便物やチラシから、新聞、雑誌、買い物のレシート、家電の取扱説明書、仕事関係の書類、年金などのお金に関わる紙や、マイナンバーカードのような重要モノまで、私たちはたくさんの「紙モノ」に囲まれています。紙はたいして場所をとらないからと、ついついそのままにしてしまっていませんか？

でも、**60歳になったらぜひ「紙モノ」整理をはじめてほしい**のです。それには**3つの理由**があります。

理由①本人や家族にしかできない

家にあふれる「紙モノ」には、貴重品や、銀行、保険、年金などの重要書類があります。

こうしたものは、本人や家族しか触ることができません。ＤＭ（ダイレクトメール）といえども、個人情報のオンパレード。業者にすべてお任せというわけにはいかないのです。

ましてや60歳以降は、年金や保険などで、こうした書類の出番も増えていきます。一般的に、日頃は生活を回すのに困らない程度に片づいた家に暮らしている方でも、高齢になればなるほど病気や介護のリスクが増えます。それにつれて医療や介護などの社会的な書類も間違いなく増えていきます。

病気になって入院したり、そのときの体の状態によっては、自分自身でいろいろな手続きをすることが難しくなります。もし、自分にしかわからない場所に大事な書類をしまい込んでいると、いざ病気や介護が必要になったとき、子や配偶者はどこに何があるかわからず、慌てふためくことになってしまいます。

「紙モノ」整理は、老いが進むにつれて、だんだん「自分ごと」ではなく、家族やご近所、病院、地域包括支援センターなどの「みんなのこと」になっていくのです。

理由②相続が発生した時たいへんになる

もし残念ながら命が尽きて、相続になれば、「紙モノ」整理は、周りにとっては立派な「困りごと」になります。

私は住むあてのない「負動産」や、「名もなき相続」に奔走《ほんそう》している方からの相談もよく受けます。なかには「うちには財産がないから関係ない」という方がいらっしゃいますが、金額の大小にかかわらず、親族はお金に関わる遺品の整理をしなければなりません。**将来の相続で親族に多大な迷惑をかけたくなければ、生前整理が必要**です。

さらに、**自分の家の整理だけでなく、実家の問題**があります。詳細は7章で述べますが、できるだけ早く実家の「紙モノ」整理に手をつけることが、将来の困りごとを減らすことにつながります。

理由③片づけるには体力が必要

「人生100年時代」といわれるようになって久しいですが、日本人の平均寿命は延び、90歳近くまで生きる人も増えてきました。90年と聞くとずいぶん長いと思ってしまいますが、これは大きな間違いです。

90年として3等分すると、0歳~30歳からの30年、31歳から60歳までの30年と、61歳から90歳までの30年では、同じ時間の流れにはなりません。**体力面でまったく異なり、最後**

の30年の中間くらいに、健康寿命がやってくるからです。

健康寿命とは、「健康上の問題で日常生活が制限されることなく生活できる期間」のことをいいます。2019年のデータになりますが、日本人の平均寿命は男性81・41歳、女性87・45歳。一方、健康寿命は男性72・68歳、女性75・38歳となっています（厚生労働省調べ）。

私はよく自治体などの主催で、高齢者対象の生前整理の講座の講師をさせていただきます。参加してくださる方は、この健康寿命の前後の層が一番多く、80歳を過ぎる方も混ざります。それぞれ、将来や健康などの不安を抱えて講座に参加してくださっている印象です。

みなさん、前向きで意識が高い方ばかりです。勉強熱心でお元気なのは素晴らしいのですが、もう少し早めに講座を受けられたり、片づけをスタートさせていたら、もっとラクに取り組めるのに、と思うことがあります。

できれば健康寿命がやってくるまでに、せめて持ち物だけでも整理し、自宅をリフォームして高齢になっても安心なバリアフリーにしたり、終《つい》の棲家《すみか》への引っ越しを終えるのが理想です。そして**住まいの老いじたくをするためには、60代で「紙モノ」整理を終えておく必要がある**のです。

「プレ終活」としての「紙モノ」整理

たかが紙、されど紙。「紙モノ」整理をあなどってはいけないことが、おわかりいただけたでしょうか。

私は「紙モノ」整理を、卒業、成人式、定年の延長線上にあり、家族や周りの人とも向き合っていく、人生を充実させるための新しいライフイベントと考えています。家族だけでなく、周りにも大きな影響を及ぼす社会的なイベント＝行事として捉えて、早めに取り組むことをおすすめします。

60歳からの「紙モノ」整理は、成熟した大人のたしなみ、マナーに近いものです。そして**終活前の人生の棚卸しであり、「プレ終活」の1つ**といえるでしょう。この棚卸しができていないと、エンディングノートも財産目録も遺言書も書けません。

なにより「紙モノ」整理は、一般的な整理整頓やおしゃれな収納ワザ、書類のファイリングとは、目指しているゴールがまったく異なります。詳しくは2章以降でお伝えしていきます。

なぜ、紙の整理を先のばしにしてしまうのか

この本を手に取ってくださった方は、「いつかは『紙モノ』の整理をやらねばならない」と思ってきたのではないでしょうか。それでもつい先のばしにしてしまうのは、「紙モノ」整理の難しさにあります。

大きな原因は、一般的なモノの整理とは決定的に違う特徴と、世代的な要素のダブル構造になっているためです。それゆえに、ほとんどの方が原因のどれかに当てはまってしまい、身動きがとれなくなっているのです。

「紙モノ」整理ならではの特徴と、世代的な要素には、次のようなものがあります。

特徴①普通のモノより「紙モノ」は重要度が高いという思い込みがある

書類や本、雑誌など、紙にはたいてい文字が書かれています。**文字はモノとは違うので、知識欲のある方ほど、ほかのモノよりも大事だと思ったり、重要な情報は逃してはならないと感じがちです。**文字が書かれた「紙」そのものを、普通のモノより格が上だと、無意

識的に思う傾向があります。

そのため、まったく必要のないチラシでも持ち続けてしまったり、決して読むことがない本や雑誌、新聞を「重要品」だと意識してしまい、とっておいたりします。見返すことのないメモや、期限切れの旅行のパンフレットなども同類です。

特徴②コスパが悪く、面倒

同じ捨てる判断でも、例えば数年着ていない、流行遅れの服を思い切って手放せば、クローゼットも広くなり、一瞬で過去と決別でき、「捨てた感」を満喫することができます。

ところが紙には重要な書類が紛れている可能性があるので、捨てるかどうしようか判断するために、中身をチェックする必要が出てきます。重要品にしても、思い出の紙であっても、捨てる判断をする時に、いちいち目を通して内容を理解し、自分の頭の中を言語化するという「脳内変換」をしなければなりません。

細かい字がたくさん書いてある書類などは、いくら悩んで1枚捨てたとしても薄くてかさばりませんから、スッキリ感をほとんど感じることができません。

そもそも「紙モノ」整理は、時間的・空間的効果（コストパフォーマンス）が悪いのです。

ましてや「紙モノ」整理は、思い出のような情感も含みます。作業の効果を数値化しづらく、今時のＡＩの基準で判断しにくい、極めて人間臭い営みです。

そのため、定年後に新たな環境で仕事を始めたり、地域活動や趣味を満喫していて忙しい……そんな一見アクティブで効率を重視している方ほど、面倒なのでとりあえずとっておくという、「判断をしない判断らしきこと」をしがちです。

コスパが悪く判断も面倒という、片づけの中でも一番難易度が高いものなのです。

特徴③「片づけスキル」と「手続きスキル」の両方が必要

「紙モノ」整理には、単なる整理収納のワザにプラスして、**重要品を管理し、期日に書類を出すなどの「手続きスキル」がプラス**されます。そのため、面倒なものが多く、片づけのハードルがより上がってしまいます。

世代的要素①年を重ねている分、「思い出」の「紙モノ」が多い

これは「紙モノ」に限らず、すべての片づけにいえることですが、思い出があるものは気持ちが乗っている分だけ捨てにくく、片づけの判断が難しくなります。例えば卒業アル

バム、卒業証書、過去の給与明細などです。思い入れのある仕事の書類などを大事にとっているケースもあるでしょう。

年齢を重ねれば重ねるほど思い出も増えていくので、こうした書類を手放すことが難しくなっていくのです。

世代的要素②「なりたい自分」の情報が含まれているので捨てにくい

古い写真を見た時に、当時の思いがよみがえり手が止まるというのはよくあることです。つい整理から逃げて見入ってしまい、結局日が暮れて再び押入れに押し込んで終わり……ということを繰り返してしまうこともあります。

例えば40年以上前にがんばった受験の赤本は、過去の自分への懐かしみかもしれません。それが自信の場合もあるし、愛惜やこだわり（執着）になっている場合もあります。

また60代は、「自己啓発」世代です。本棚に並ぶ筋トレ本や英検の攻略本は、なし得ていない自分を塩漬けにしているのかもしれません。これから先どうしたらいいかを考えること自体を先のばしにしていることもあります。

こうありたい自分や現実と向き合うこと＝将来を考えること自体を先のばしにしている

ケースです。

世代的要素③目を通したことで、かえって情が増す

「紙モノ」整理で厄介《やっかい》なのは、久しぶりに目を通すことで、当時のことをあれこれ思い出し、新たな愛着が湧いてきて捨てにくくなることです。

人は接する時間が長いモノに好感を持つ傾向があります。心理学では単純接触効果といわれています。同じコマーシャルがネットやテレビで繰り返されるのは、この効果をねらっているためです。

ただ、「紙モノ」整理の場面では、いつもそこにあるからとっておくという、結局捨てられないループにはまり、**愛着が執着に変換されていく**のです。

60歳からの「紙モノ」整理は待ったなし！

60歳からの「紙モノ」整理をおすすめするのには、老化の問題もあります。誰しも年齢を重ねれば、体力的な衰えを感じるものですが、60代以降はそれが顕著になります。

「紙モノ」整理を難しくする老化には、２つの要素があります。

「自分自身」の老い

「気持ちはまだまだ若いけれど、体がついていかない」と感じることはありませんか？

40歳以降は、実際の年齢よりも20％若く感じているという研究（※1）があります。つまり、60歳の人は自分のことを48歳だと思っているのです。

そのため、いざ面倒な「紙モノ」整理をしようとしても、体力が追いつかないという現象が起きてしまいます。**60歳以降は、自分のことを若いと思いつつも、現実には体力が低下し、仕事や日常生活の忙しさが重なって、自分の老いに逆らえなくなっていく**のです。

また、中年以降は、徐々に視力が下がります。程度の差はありますが、白内障は、60代で70～80％、70代で80～90％、80歳以上ではほぼ１００％が発症するといわれています。

白内障だけでなく、近視や遠視が進む人も多くなります。すると、ちょっとしたダイレクトメールの中身を読もうとしても、「メガネをかけて確認する」という手間が加わります。

簡単な動作でも、ワンアクションの動作が加わるだけで、一足飛びで整理の難易度が上がります。

ですから、メガネをかけてあとでしようと思いつつ、とりあえず手の届くところに放置し、「散らかり」に移行してしまうのです。

「巻き込まれる」老い

60代は、**逆らえない自分自身の「老い」**だけでなく、**親の高齢化、すなわち「巻き込まれる老い」**を経験することになります。親に何かあれば、自分を差し置いて対応しなければならない時もあります。

「巻き込まれる老い」には、パートナーの老いや、義理の両親の老いによる「老老介護」もあります。少子化の今はきょうだいが少なく、結婚すると、自分の実家と義理の実家の両方の親を4人抱えてしまうケースもあります。なかには祖父母の介護や、独身の叔父、叔母の介護をしている人もいるでしょう。

前述の論文によれば、80歳の親なら気持ちの上では自分を64歳だと思っていることになります。しかし現実には、介護までいかなくても、親の体力低下を子世代がカバーしなければならない場面は増えていきます。気持ちに体力がついていかず、ご本人ももどかしく思っていることでしょう。

60歳は「紙モノ」整理の適齢期

逆らえない「自分自身」の老いと、親や義実家、親戚、伴侶などの「巻き込まれる」老い——八方塞《はっぽうふさ》がりのように思われるかもしれませんが、大丈夫。まだまだ打つ手はあります。

下り坂の天気予報が出ていたら、雨を止めることはできなくても、傘を持って出かければいいのです。同じように、これからやってくる「老い」への対策をすれば、少なくとも雨の直撃を受けることはありません。

この対策こそが、60歳からの「紙モノ」整理なのです。

朗報！　今やるからこそ「紙モノ」整理がうまくいく

実は、60歳からの「紙モノ」整理には、それまでの片づけよりもやりやすかったり、あとあと役立つといったメリットもあります。

まず、60代になると、定年して仕事が一段落していたり、子どもが独立したりして、**気持ちや時間に余裕が出てきます**。そのため、集中して片づけに取り組む時間も確保しやすくなります。体力的にもまだ余裕がありますので、片づけもはかどります。

もう1つ、**整理すべき「紙モノ」が少ない**というのもいいところ。もちろん、それまで生きてきた分だけ「紙モノ」はたまっているのですが、健康寿命である70代後半を過ぎると、病気をしたり、自分も親も介護系の書類が増えてきます。片づけるなら、病気や介護関係の「紙モノ」が少ない今がチャンスなのです。

また、一般家庭の「紙モノ」整理で一番頭を悩ませるのが、小さいお子さんの学校のプリントや、塾のプリント類、テスト類ではないでしょうか。しかし、子どもが成人したり、就職や結婚で別世帯になっている60代は、自分のモノだけに集中して整理に取り組むことができます。

さらには、お金に関する「紙モノ」整理をすることで、今自分がいくら持っているのかが「見える化」され、将来の不安が減ります。また、**スムーズに財産目録をつくれます。**

財産目録とは、亡くなったときに、相続人が遺産分割協議書を作成する前につくるものです。財産目録は大体の形式が決まっており、一度財産目録をつくってしまえば、相続が発生したときにもスムーズに進めることができます。死んだあとなので自分には関係ないと思っている人も多いかもしれません。しかし、親族や役所、金融機関の人など、周りの人の手間を省くことになるので、金額の大小にかかわらず、作成するだけで社会的に貢献したことになります。

気をつけなければいけないのは、**お金以上に大切なのは、限られた命をどのように全うするか**ということであり、**お金はその実現のための道具である**ということです。よくいわれることですが、お金やモノをたくさん持っていれば幸せとは限りません。

若い頃は流行りモノや周りの人の目が気になってモノを持っていた人でも、年齢的に人生のゴールが見えはじめると、やり残していること、これだけはやっておきたいことがクリアになってきます。

そのため、**自分の興味関心や将来やりたい「趣味モノ」の整理もしやすくなります。自分にとって大切なモノやコトを選ぶ力が身について、「プレ終活」の大切さを知っている**というメリットは、「紙モノ」整理を進めるうえで絶大です。

次章からは、具体的な「紙モノ」整理のやり方を解説していきます。

※1 Rubin, D. C., & Berntsen, D. (2006). People over forty feel 20% younger than their age: Subjective age across the lifespan. *Psychonomic bulletin & review*, 13(5), 776-780.

2章

「紙モノ」整理の考え方の基本

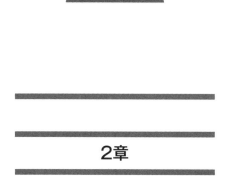

考え方を変えるだけで、整理のハードルは下がる

大切だけど、一般的なモノとは少々異なる「紙モノ」整理を成功させるには、これまでとは考え方を大きく変えることがポイントとなります。

人生も60年を過ぎますと、知らず知らずのうちに思い込みが増え、「紙モノ」整理をするうえで障壁となります。モノを捨てる前に、この思い込みを捨てましょう。

具体的には、多くの方が正しいと思っている次の「5つの主義」を、転換させてみてください。まずはそこがスタート地点となります。

①お金万能主義→健康第一主義

言うまでもありませんが、お金で健康は買えません。そして健康に長生きすれば、お金もかからないというメリットがあります。

健康に過ごすことができれば、好きなことをする時間も増えます。**健康を第一に考え、「紙モノ」整理をしていきましょう。**

②「紙文字」権威主義→「紙モノ」を特別扱いしない

前章でも述べましたが、「紙モノ」には、言葉が書かれています。言葉は情報も含んでいて、ほかのモノとは違う「権威」があるように感じます。でも、そうやって「紙モノ」だけを特別扱いしたら、いつまでたっても片づきません。**ほかのモノと同じように向き合ってみてください。**

③完璧主義→60歳からは「ゆる整理」

生きていれば、体力も考え方も、自分を取り巻く状況も変化します。今、完璧に整理を終えても、年齢を重ねれば介護認定の書類が増えたり、新しい保険に乗り換えたりと、どんどん新しい書類が入ってきます。完璧に仕上げるとか、これで整理が終わりというゴールはなく、自分や周りの変化に応じて常に見直しする気持ちで取り組むとよいでしょう。

本書では、**自分自身については「ゆる整理」、実家については「ゆるゆる整理」**を推奨しています。

④「ラベリング」至上主義→「ノーメガネ」収納

高齢になってくると、目が悪くなり、小さな文字のラベリングは読めなくなります。小さなラベルで整理された「紙モノ」のファイルなどはおしゃれな感じがしますが、60歳以降は実用的ではありません。「紙モノ」を整理しようとすると、まず、メガネを探す→メガネをかけるというツーアクションになります。メガネが見つからないと、しまうのをやめて家の中に放置しがちになることもあります。

常にメガネが必要な方も、しまい方や場所を工夫して、**ラベリングに頼りすぎない「メガネレス」な整理法**を目指しましょう。そうすれば、「紙モノ」を放置せずにすぐに片づき、いつでもスッキリした状態を保ちやすくなります。

⑤ファイリング主義→「見える化」重視

ファイリングとは、ラベリングして冊子や個別フォルダに書類をはさんでキャビネットなどに保存することです。多くは大分類・中分類・小分類などとカテゴリーごとに分類し、個別フォルダの見出しに書類名をラベリングして収納します。

メガネなしで必要なものが見つかるのが基本

○ メガネなしでもすぐ見つかる

× メガネがないと見つからない

この収納法は、戦後間もない1950年頃に、アメリカから日本に取り入れられたものだそうで、それ以来、基本は変わっていません。多くの方が今もこの流れでファイリングをしています。私自身もかつてはしていましたし、オフィスなどでも広く利用されています。

ただ、中年以降には、大中小の分類は細かすぎますし、一般的な個別フォルダは紙製なので、入れるとたいがい中身が見えなくなります。人は見えなくなったモノは忘れてしまいます。見出し（ラベリング）も小さく、60代には読みにくい大きさです。忘れるような「紙モノ」なら、そもそもファイルする必要がないモノも含まれているかもしれません。

ファイリングして収めることは、60代にとっては正解ではありません。**色が揃った中身が見えないファイルボックスに収納する「見栄え重視」よりも、クリアファイルなどに入れてひとまとめにし、わかりやすくてノーメガネで取り出せる「見える化」重視で、**「紙モノ」を活用しながら持つことのほうがずっと大切です。

「紙モノ」整理を好きになることからスタート

「紙モノ」整理は、ほかの片づけよりも判断に時間がかかり、成果もすぐに見えないことがあります。うまくいく最大の秘訣は、結果が見えなくても、短い時間でも少しずつ進めていくことです。勉強でも運動でもなんでもそうなのですが、ほんとうに小さなことでもいいので、コツコツ続けるのが〝コツ〟です。

「好きこそものの上手なれ」という言葉があります。何かを成し遂げたり、何十年も続けられるのは、やっていることが好きだからです。片づけや整理整頓もこれと同じ。**まずは「紙モノ」整理を好きになると決めることです。決めてしまえば、習慣になっていきます。**

年を取ったらたいへんだからという理由で、イヤイヤ「紙モノ」整理をやっても、短期的にはがんばることができても、すぐに「紙《かみ》汚《お》屋《や》敷《しき》」に逆戻りしてしまうでしょう。

家の中にある「紙モノ」は、基本的にあなたが持ち込んだモノです。例えば頭の中の言葉を綴ったメモだったり、自分の将来を支えてくれる預金通帳……これらはいわば自分の分身みたいなもの。大事なモノは大事にしまい、不要なモノとはさようならすればいいのです。

人はもともと自分のことを誰よりも好きなものです。「紙モノ」整理は大好きな自分と向き合う作業。紙を片づけてもたいしてスペースが空かないから非効率、などと思わずに、自分を愛でるために取り組んでみてください。

好きになれば、いつの間にか楽しくなってきます。

迷ったら「一時保管」

「紙モノ」に限った話ではありませんが、整理で一番困るのは、「いる」「いらない」を判断していくことです。苦手な人ほど長い時間をかけて考え、挙句《あげく》の果てに全部とっておくという判断をしがちです。いつまでたってもスッキリしないので、ますます苦手意識が高まります。

でも、大枚をはたいて購入した自宅の不動産権利証や、自分の健康保険証を、「いる」「いらない」で迷うでしょうか？　どんなに整理が苦手でも、超重要なモノは、一瞬で「いる」と思うはずです。迷うのは、なくても困らないグレーゾーンのモノばかりです。

アメリカの国際記録管理協議会(National Records Management Council)によると、書類作成（取得）から半年後には10％の資料しか使っておらず、1年後に見返すのはわずか1％だそう。つまり99％の書類はいらないものです。これは調査機関の頭文字をとって「ナレムコの統計」といわれています。

つまり、少しでも不安で捨てられない「紙モノ」でも、段ボールなどに詰めて一時保管にしておき、1年たてば捨てても大丈夫ということです。そこで私は「3の法則」と言っているのですが、**3秒以上、つまり少しでも悩んだら「一時保管」にする**ことを推奨しています。

3章以下で述べますが、とっておかなければならない「紙モノ」は、ほぼ決まっています。それ以外のモノは、自分基準で決めて大丈夫。もし**迷ったら一時保管**すればいいのです。**「大事なモノを捨ててしまうかも」という不安や言い訳を、まず捨てましょう。**

3大カテゴリー「健康モノ」「お金モノ」「書類モノ」

さて、ここからが本番です。60歳からの「紙モノ」整理では、まず「健康モノ」「お金モノ」「書類モノ」の3つのカテゴリーに分けて考えます。

①「健康モノ」

命あっての人生です。お金で命は買えませんから、**「健康」はプライスレス、最優先で整理すべきこと**です。特に健康不安が増える中年以降、「健康モノ」はいざという時にあなたの命を守ります。健康状態がよくない時にこそ出番の多い健康保険証やお薬手帳を整理しておくことを、何よりも優先してください。

②「お金モノ」

「お金モノ」は、**「資産モノ」**と、日々の家計から出ていく**「支払いモノ」**の2つに分けて考えます。

「資産モノ」は、プラスの財産です。不動産、現金、株式、保険、著作権といった法律的な所有権がはっきりと他人に示せるものです。

一方、「支払いモノ」は、日々の家計から出ていくマイナスの「お金モノ」です。住宅ローン、公共料金の支払い、医療費控除などの確定申告に使う領収証類も、「支払いモノ」に入ります。払いすぎた税金を取り戻すための書類なども含みます。整理することでお金の流れをつかむこともできますね。

③「書類モノ」

「書類モノ」とは、前述の「健康モノ」「お金モノ」以外の「紙モノ」のことです。具体的には、

「紙モノ」整理のカテゴリーと主なアイテム

<table>
<tr><th colspan="2">カテゴリー</th><th>紙類</th><th>モノ類</th><th>デジタル類</th></tr>
<tr><td colspan="2" rowspan="3">健康モノ</td><td rowspan="2"></td><td></td><td>スマホログイン情報</td></tr>
<tr><td colspan="2">マイナンバーカード／健康保険証／診察券／お薬手帳など</td></tr>
<tr><td colspan="3">健診結果／既往歴／かかりつけ医情報／アレルギー情報／健康機器（メガネ、補聴器など）使用情報など</td></tr>
<tr><td rowspan="2">お金モノ</td><td>資産モノ</td><td>現金／通帳／不動産権利証／年金手帳／保険証券／株式／リゾート会員権・ゴルフ会員権など</td><td>貴重品（実印、銀行印、契約印、クレジットカード、カギ、運転免許証、パスポート、貴金属などとその鑑定・証明書類）／交通系カード（Suica など）／商品券／図書カードなど</td><td>パスワード・ID（スマホ、パソコン、ネット銀行口座、ネット証券口座、暗号資産、スマホに登録した交通系カードやクレジットカード）など</td></tr>
<tr><td>支払いモノ</td><td>確定申告関連（領収証、源泉徴収票、課税証明書、ふるさと納税、自動車保険など）／医療費（病院、薬局の領収証）／税金・水道料金などの公共料金引き落とし／電気・ガスの引き落とし／賃貸契約／借入契約（ローン）／新聞などの購読料／損害保険料・生命保険料／町内会費、マンション・不動産の管理費、修繕積立金／スポーツクラブ・お稽古事の会費／通販の定期購入／駐車場代／互助会費など</td><td>ポイントカードなど</td><td>（アプリの）ポイントカード／サブスク／ネット通販の定期購入／パソコン関連（ソフト、Wi-Fi、クラウド）／スマホ関連（使用料金、アプリ、ルーターレンタル料）／ホームページのレンタルサーバー、ドメイン使用料など</td></tr>
<tr><td colspan="2">書類モノ</td><td>書類／カタログ／チラシ／パンフレット／取扱説明書／本、雑誌、新聞／手帳、メモ／日記／写真・アルバム／年賀状、手紙／趣味の資料／名簿・住所録など</td><td>紙袋／包装紙／梱包資材／空き箱／子どもの絵や作文／写真データなどが入ったUSBメモリ・SDカード・CD・ビデオテープなど</td><td>電子書籍データ／クラウド・ハードディスク保存のデータ（写真、資料、メール、SNSアカウント、メモアプリで作成したメモ、ワードやエクセルで作成したドキュメントなど）</td></tr>
</table>

本や新聞、仕事の資料、取扱説明書、自治体ニュースや郵便物などの情報や通知があります。代々伝わる秘伝のレシピや思い出の写真は、本人やその家族にとっては大切な財産だという人もいるかもしれません。しかし、当事者にとって価値があっても、第三者には値段がついていない思い出なので、「書類モノ」になります。

整理するのは「紙類」「モノ類」「デジタル類」の3類

前述した「健康モノ」「お金モノ」「書類モノ」はそれぞれ、「紙類」「モノ類」「デジタル類」の3類に分けられます。世の中的にはデジタル化しつつありますが、まだまだ家の中は紙が多くあります。また、銀行印やパスポートのような貴重品もあります。

なくすと困る「紙類」の情報は、デジタルにしてバックアップとして保存すると安心です。それぞれの「紙モノ」整理のやり方は、次章から説明していきます。

「金額順」「時系列」「自分基準」の3つの軸で考える

「紙モノ」を「健康モノ」「お金モノ」「書類モノ」に分けたら、次のステップでさらに細かく分けていきます。

「紙モノ」整理で迷うのは、仕分けの基準がわかりにくいことです。そこで**「金額順」「時系列」「自分基準」**という3つの軸で考えると、たいていどれかに当てはまるので、うまく片づけを進めることができます。

①「金額順」整理

お金は世の中のいろいろなモノと交換できる、万人共通の「ものさし」です。そこには自分の愛着や思い入れは関係ありません。そこで、特に「お金モノ」を「金額順」に整理することを意識すると、余計なエネルギーを使わなくてすみます。自分の意思や判断は必要ないからです。

60歳以上の方なら、大学受験のとき『試験にでる英単語』(青春出版社、通称「でる単」)で勉強された方もいるのではないでしょうか。初版から50年以上たった今でも版を重ねている大ベストセラーですが、あの本が出るまでは受験生はアルファベット順に単語を覚えていました。「でる単」は、試験問題に出る順番に並べたことで、受験勉強を時短・最効率化した画期的な本だったのです。

「紙モノ」整理も同じです。優先順位をつけて整理をしていくことで、効率よく片づけを進めていくことが可能になります。この場合の優先順位は、「金額の大きさ」ということになります。

お金は老後を快適に過ごすための道具になりますが、お金がたくさんある＝幸福度が高いということではありません。ただ、人は目に見えるようになるだけでも不安が減ります。**自分がお金という道具をどれだけ持っているかを「見える化」することで、不安を減らすというメリットもあります。**まずは**金額の大きいもの**から手をつけていきましょう。

②「時系列」整理

家の中で「紙モノ」が〝地層化〟していて、どこから手をつけたらいいかわからない、ということはありませんか？ これは古い「紙モノ」と新しいモノが混在した状態です。

そんなときは、**最近のものから整理すると、記憶に新しいのでスムーズに進めることができます。**

典型的なのは写真の整理です。30年前の写真はいろいろ思い出していちいち手が止まり

「時系列」整理なら簡単に片づく！

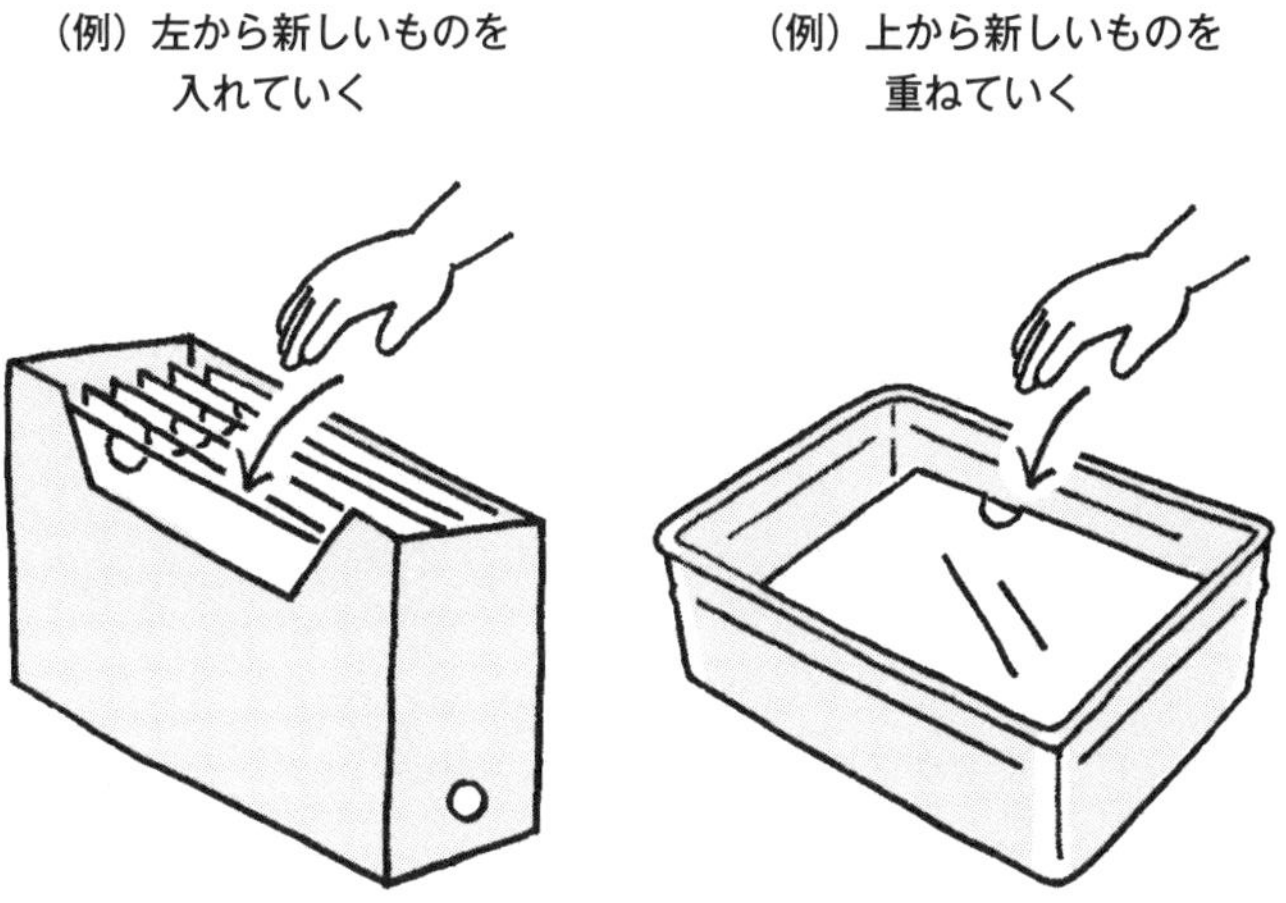

（例）左から新しいものを
入れていく
（例）上から新しいものを
重ねていく

ますが、昨日撮った飲み会の記念撮影だったら、いいショットを1枚だけを残してあとは簡単に削除できますね。

普通の書類も、基本的に新しい書類をファイルボックスの左から入れるとか、積み重ねるときは古いものの上に新しいものを載せるなど、必ず新しいモノが手前にくるようにしまいます。これは野口悠紀雄先生の『「超」整理法』(中公新書)の中で紹介されている考え方です。30年前のベストセラーですが、いまだにシンプルでゆるぎない整理術です。

新しいモノはこれからの自分の将来に一番近いので、使う可能性が高いもの。それが手前にあれば、「ここを探せば出てくる」状態になってすぐに見つけることができます。

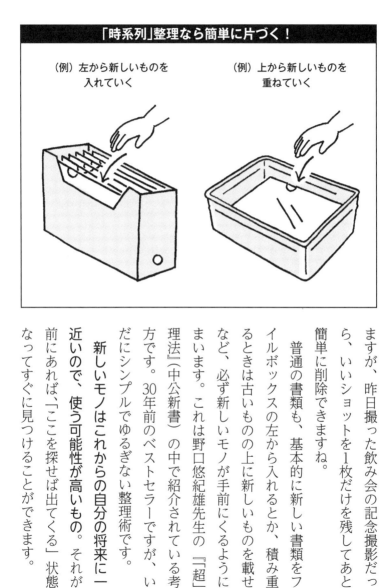

「時系列」整理なら、特にラベリングせずおおまかに分類してあれば、上から見ていくだけで、いつ頃の書類かの見当をつけられます。**時系列というラベリングが自然にできていく**と思ってください。

③「自分基準」整理

今の中年は、昭和のはじめに生まれた親から、協調性を持ち、世間に合わせることをよしとする教育を受けて育っていることがあります。そのため、周りの空気を読みすぎて、自分のことがわからなくなる時があります。これは「他人主義」ともいえるでしょう。

お金に関する「紙モノ」は、相続の法律など社会的な決まりごとに沿って整理すればよいのですが、自分の思い出の「紙モノ」や好みで整理していいものでも、自分で決められなかったり、周りに忖度《そんたく》しすぎて、自分の考え方とダブルスタンダードになってしまうことがあります。例えば「この本は興味がないけどベストセラーだからとっておく」「みんなが使っているからこのファイルボックスを使う」など、世の中で人気のあるものに合わせてしまうことなどがあげられます。

そこでまずは、**世間のものさしであるお金関連の「紙モノ」**と、**自分の好み中心で整理**

する書類などの「紙モノ」とに分けて整理してください。

モノは基本的に過去の自分を示しています。過去を整理することは未来につながります。60代は、人生の残り時間も、折り返しに入っています。自分で選んでいいモノは、みんなが持っているから、流行しているからといった周りの状況を見て判断しなくていいのです。

これから先の人生は「自分基準」で正直に、自分好みに仕上げていきましょう。

過去に好きだったモノが混ざっている場合、「時系列」整理と組み合わせれば、自分の好きなものをだんだん選べるようになります。

「紙モノ」整理の7つ道具

ラベリングした個別フォルダが入ったシンプルなファイルボックスがズラリ――雑誌やYouTubeでは、素敵なファイリングやおしゃれな書類の収納法をたくさん目にします。

しかし、本書で提案している60歳からの「紙モノ」整理は、そういったものは使いません。使うグッズも方法も超シンプルで、身近にあるものばかりです。以下、「紙モノ」整理の7つ道具をご紹介します。

①Ａ４透明クリアファイル

ほとんどの書類はＡ４サイズかそれ以下のため、まずは書類などを入れるＡ４クリアファイル（クリアフォルダ、クリアホルダーともいいます）を用意しましょう。

クリアファイルにはいろいろな種類がありますが、高齢になって目が悪くなってくると、中身が見えたほうが便利なので、透明か半透明がおすすめです。企業の広告が入っているものや絵が描いてあるもの、中身が見えない色付きのものなどもありますが、外から見えないと、いちいち中身を確認する動作がプラスされてしまいます。また、整理をしながら、「これは重要だから赤にしよう」などと考えていると時間がかかり、作業効率が低下します。透明一択にすれば、整理の時短になります。

厚さは薄いものより、中厚～厚手がおすすめです。立てて収納しやすく、少し厚みがあるほうがめくりやすいためです。

Ａ４透明クリアファイルは、１００円ショップなどで、中厚～厚手が5枚くらいセットになって売られています。文房具店や通販で50枚くらいまとめて買うのもいいでしょう。

使う際には、**１つのクリアファイルに1種類の「紙モノ」しか入れないのが大原則**です。

「紙モノ」整理の７つ道具

これらの道具のほか、ご自分で使いやすいものを足してもかまいません。
まずは「紙モノ」整理を始めてみて、必要に応じて追加してください。

2種類以上の書類を入れるとわからなくなります。値段が高いものではないので、ケチらずに使ってください。

1種類の書類で30枚ぐらいあり、1つのクリアファイルに入りきらない場合は、内容を見て2〜3枚のクリアファイルに分けて入れます。そのうえで、クリアファイルをダブルクリップや目玉クリップ、輪ゴムでまとめます。

小さめサイズの取扱説明書や領収証を入れるときは、好きな大きさに切って使うこともできます。バッグに入れることもできるので、医療費の領収証など、シワにならずに持ち帰ることができて便利です。

②透明の保存袋（フリーザーバッグ）

細かいカードやメモ、通帳などをまとめて入れるのに使います。

キッチンで食品を冷凍するときなどに使う保存袋でもかまいません。A5サイズぐらいのものが、汎用性が高くおすすめです。中身が見えれば、自宅にあるものでかまいません。

③A4の紙が入るファイルボックス・空き箱・缶など

Ａ４サイズの書類やクリアファイルを入れるのに使います。塩化ビニール系のボックスが主流ですが、案外重たくて使いづらいこともあります。厚手の紙製のボックスのほうが書類ごと処分できて便利なこともありますので、購入するときによく吟味《ぎんみ》してください。

ファイルボックスは、今使っているものを活用したり、大きめの空き箱や缶を活用してもＯＫです。また、棚1段分、引き出し1つ分を仮の収納場所として、「紙モノ」整理を進めていきながら必要に応じて購入するほうが、ムダがありません。

ポイントは、**「枠」に入れて片づける**こと。**空き箱やプラスチックのケースに、種類ごとにモノを放り込むだけで、不思議と整頓されているように見えます。**枠に入っているとクリアファイルや透明のフリーザーバッグがまざっていても、散らかって見えることもありません。

私はこれを**「わくわく大作戦」**と呼んでいます。「わくわく大作戦」は、片づけが苦手な人が、とりあえず整理が上手に見える、リバウンドを防ぐのにも効果的な方法です。

なによりも、**ここを探せば必要なものが出てくるという安心感**につながります。もし急に体調が悪くなっても、「健康モノ」ボックスの中を探すだけですみますから、探し物のストレスからも解放されるのです。

「わくわく大作戦」で片づけ上手に変身!

散らかっている「紙モノ」……
ゴチャゴチャしていて探すのが大変

「枠」に入れて整理した「紙モノ」……
スッキリしていて探しやすい

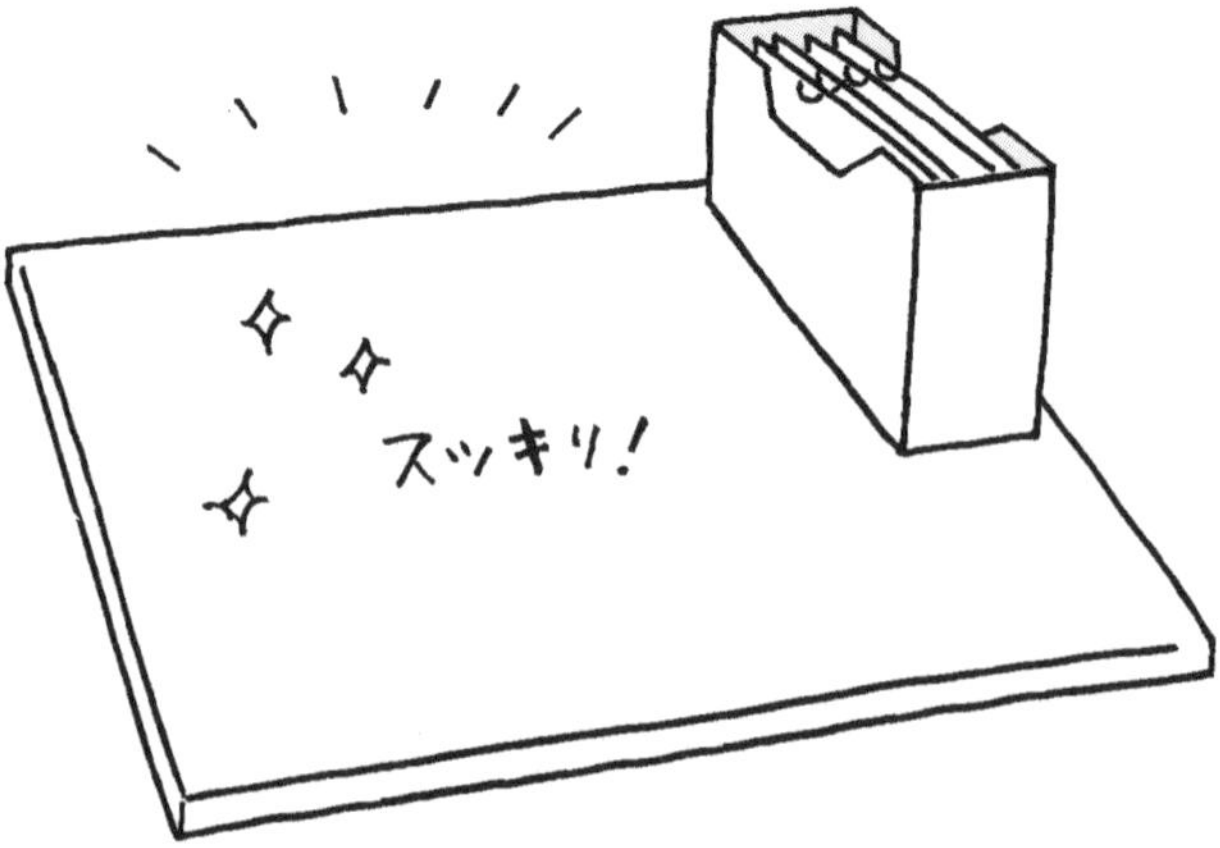

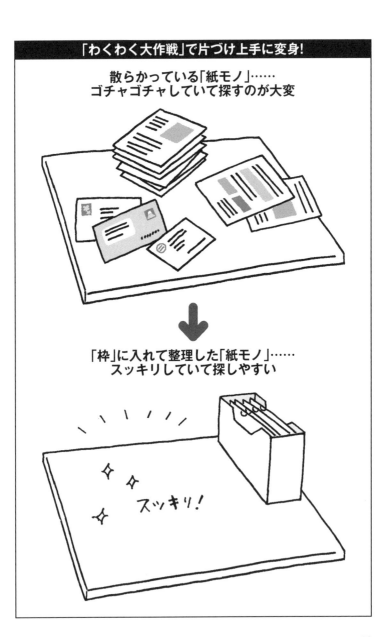

ふせんや養生テープでつくるインデックス

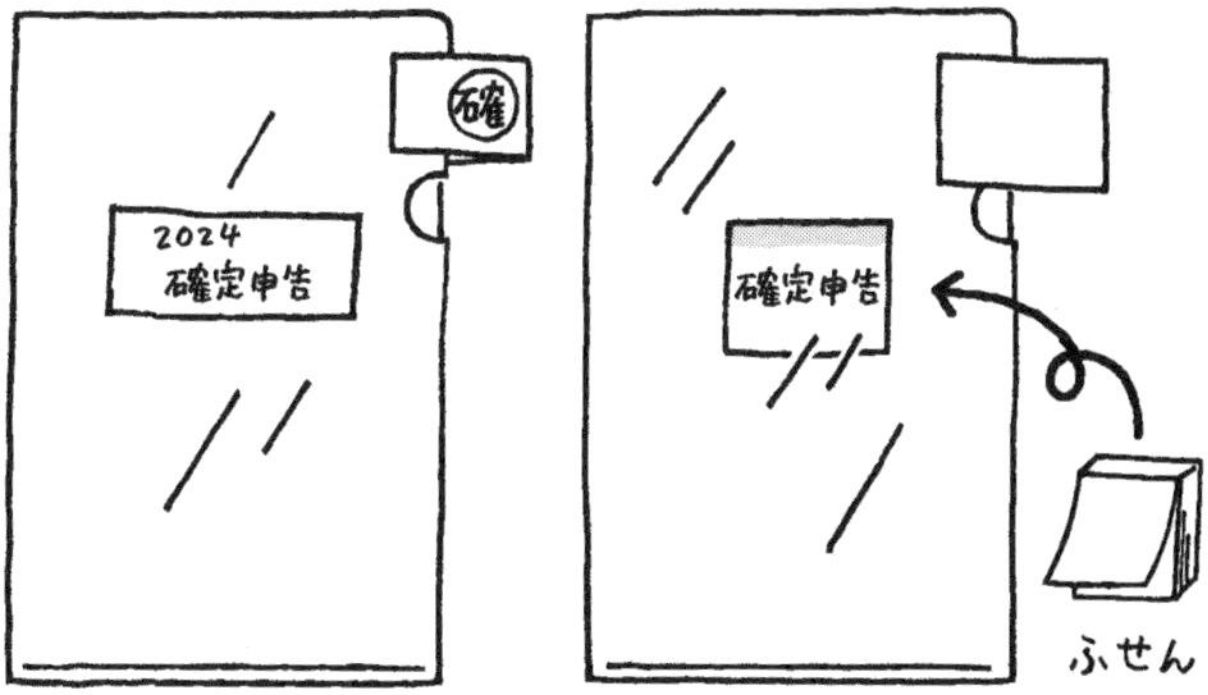

クリアファイルに大きめのふせんや養生テープを貼り、太マジックペンでタイトルやメモを記入する。

ふせんを裏返して糊がついている面を上にし、タイトル等を書いて内側から貼る。

④大きなふせん、または養生テープ

ふせんは、インデックスやメモ代わりに使います。

よくあるのは、75ミリ四方の貼ってはがせるタイプです。**糊《のり》が付いている面にマジックでタイトルを書き、クリアファイルの内側から貼る**とはがれません。横に貼ればインデックスにもなる優れものです。糊が強めのしっかりつくタイプを選ぶといいでしょう。

タイトルを記入する際におすすめなのは、幅広の養生テープです。

おしゃれなマスキングテープを使う方法もありますが、幅が狭いと文字も小さくなり、「ノーメガネ」収納が難しくなります。養生テープなら一度貼ってもはがせるので、跡が残りません。また、**手でちぎることができるので「ハサミレス」**です。ガムテープほどの5センチ幅で、色は白色のものが、字が目立ちやすくおすすめです。

⑤油性の太マジックペン

ふせんや養生テープに、タイトルやメモを書いて内側から貼る際に使います。**「ノーメガネ」整理を可能にするには、大きな字で書くことがポイント**。だから、ただのマジックペンではなく**太マジックペン**なのです。ラベルプリンターで作成してもいいのですが、シニアには小さな文字は読みにくい場合があるので臨機応変にしてください。

また太マジックペンは、**郵便物などの個人情報を消す際にも使えます**。書類を捨てるとき、細かく破いた状態で捨てようと思っても、手に力が入りにくいシニアは、捨てるのが億劫になってしまうこともあります。そんなときは太マジックペンで住所や名前を塗りつぶして、生ゴミと一緒に処分すれば大丈夫です。

⑥ハサミ・カッター

封書や、硬い紙を切るときに使います。厚手のものを切るときは、**キッチンバサミ**を利用してもよいでしょう。

ちなみに、私はこれまでにさまざまなお宅を拝見してきましたが、散らかっている家は、「紙モノ」だけでなく、文房具もあふれていました。

ハサミを何本も持っている人もいるかもしれませんが、基本的には**場所や用途別に1本あれば十分**です。郵便物を開封する場所や宅配便を受け取る玄関に、手に取りやすいようにペン立てなどに立てて置くとよいでしょう。切れるものだけ残してあとは処分します。カッターも安全なモノを一緒に用意しておきましょう。

⑦ダブルクリップ・目玉クリップ・太めの輪ゴム

クリアファイルに入れた「紙モノ」などを、種類ごとにセット化したいときに使います。ダブルクリップなど、身近にあって普段使い慣れているものが便利です。

ただし、ダブルクリップなどは高齢になると指の力が必要になる場合もあります。力のあまりいらない目玉クリップや太めの輪ゴムに変えたり、書類のグループごとに入れる箱や引き出しに変えるなど、工夫してみましょう。

[コラム] 個人情報を消す簡単な方法

住所や名前といった個人情報を消すには、一般的にはシュレッダーを使います。ただしシュレッダーの種類にも、ピンからキリまであります。

安価な手まわしのものは力が必要で、一度に処理できる枚数も少ないので、あまりおすすめできません。かといって大きいものは場所もとりますし、出てきたゴミが大量になると運ぶのも大変です。購入する際は、裁断できる枚数やサイズを考えて選ぶことをおすすめします。

仕事関連の書類などがない一般家庭でしたら、シュレッダーがなくても、油性の太マジックペンで名前の部分を消すことで対応できます。また、名前を消す黒いスタンプも、100円ショップなどで売られています。

一番簡単なのは、個人情報入りの郵便物や書類を破棄するとき、生ゴミのゴミ箱の上で、不要なものをちぎり、生ゴミと混ぜて捨てることです。生ゴミをわざわざ開ける人はまずいませんので、よほどのことがない限りはこれで大丈夫です。

高齢になってくると、紙をちぎるのも一苦労です。その際は大きめのキッチンバサミなどを使うといいでしょう。

「紙モノ」整理に限らず、片づけは身近にあるモノでなんとかなることがほとんどです。工夫しながら進めてみてください。

3章

まずはここから！命に関わる「健康モノ」の整理

60歳からは健康が一番の財産

60歳からは、いかに健康に過ごすかというのが誰にとっても大きなテーマです。いざという時、健康情報を医療者にさっと示せるようにしておくことは、適切な治療につながります。私自身、家族が救急車で運ばれた時に、以前手術した病院の診察券と情報がすぐに出せたことで、迅速に病院と連携がとれて、ほっとしたことがありました。「健康モノ」の整理は命に関わるのです。

本書では、**「健康モノ」を最優先の財産として位置づけています。「健康モノ」の整理は最上級の価値があるということを、**肝に銘じて取り組んでください。

「わくわく大作戦」でワンボックス化する

「紙汚屋敷化」している家では、たいてい大事な「健康モノ」や「お金モノ」が、大量の「書類モノ」に混ざっていることが、散らかりの原因になっています。

「健康モノ」の「紙モノ」整理は、「わくわく大作戦」(47ページ)を使って、手に届きやすいところにひとまとめにしてください。**ファイルボックスや大きめの引き出しを使ってワンボックス化**します。普段飲んでいる薬があれば、その保管場所の近くなどがおすすめです。**よく使う健康保険証や診察券を持ち歩いている人は、コピーをファイルボックスの中に入れてバックアップを保存**しておきます。万が一、お財布ごと紛失しても慌てなくてすみます。

フリーザーバッグに通院セットとしてひとまとめにしてもよいでしょう。就寝時は枕元に置いて寝ると、災害時も安心です。病院から帰ってきたらすぐにしまえるようにしておくのがコツです。

注意点としては、確定申告の医療控除用の領収証は、「支払いモノ」として、別保管にしておくことです(104ページ)。

重大な「健康情報」は家族や周りの人とシェアする

「健康情報」の中でも**重要な既往歴やアレルギー情報などは、紙に書き出しておきます。**

病気やケガに見舞われた時、**家族以外の周りの人や救急隊員に伝えられる状態にしておく**と安心です。

健康保険証やお薬情報、かかりつけ医の診察券や緊急連絡先などと一緒に写真に撮り、3枚プリントアウトしておきましょう。

本人はスマホに写真データとして持ち、1枚は緊急時に周りの人へシェアするための持ち歩き用、もう1枚は家族とのシェア用、もう1枚は防災リュックに入れておけば、災害時に避難することになっても慌てなくてすみます。

「健康モノ」整理のポイント

「健康モノ」のボックスの中には、次のようなものを入れておきます。書類などはA4のクリアファイルに入れ、ふせんか養生テープを使ってラベルをつけ、中身がわかるようにします。小さなものはフリーザーバッグに入れて収納するといいでしょう。

【スマホ本体のパスワード・ログイン情報】

意外に思われるかもしれませんが、**スマホ本体のパスワードやログイン情報は最優先情報**です。困ったときに助けを呼ぶ、緊急時に連絡する手段になります。スマホにはお薬手帳や診察券、マイナンバーカード情報のほか、今後は保険証も入れられるようになります。最重要の財産として意識しましょう。

もちろん次章以降で述べる「お金モノ」の整理など、生活のすみずみまで関わっています。パスワードは使いまわしをせず、セキュリティに気をつけましょう。

【マイナンバーカード】

最重要の「健康モノ」として扱いましょう。顔写真つきなので、身分証明にもなります。取得すると、今後はワクチン接種や確定申告の手続きなどの場面でどんどん便利になります。

また、相続の際には、マイナンバーの番号が必要になります。

【健康保険証】

新しい健康保険証がきたら、古いものはハサミを入れてその場で処分します。有効期限がまだ先だと思っていると忘れてしまいますので、注意しましょう。

なお、マイナンバーカードに保険証を紐づけた「マイナ保険証」の利用がはじまっており、医療機関によっては、健康保険証よりマイナ保険証を利用したほうが、医療費が安くなるところもあります。現行の保険証は２０２４年秋までに原則廃止されるため、早めに切り替えることも検討してはいかがでしょうか。

【お薬手帳】

お薬手帳を紙でもらっている人は、スマホのアプリで管理することをおすすめします。

手帳は忘れても、スマホは持ち歩いていることが多いもの。いざというときに手帳を持っていないというリスクを減らせます。手帳が何冊にもまたがる場合も、スマホならアプリ１つですみます。

アプリを使っている場合、プリントアウトできるなら、それを「健康モノ」ボックスに入れておくとよいでしょう。紙とデジタルの両方でバックアップ化しておきます。

今後はマイナンバーカードと連携する医療機関が増えていきます。ＥＰＡＲＫというアプリは、マイナポータルとも連携していて、家族でシェアできます。今後もいろいろなアプリやサービスが出てくるので、便利なものに切り替えていきましょう。

【診察券】

診察券は、**しょっちゅう受診するものはお財布に入れておいてもよい**のですが、**普段使わないものは、フリーザーバッグの袋に入れたり、ダブルクリップなどでとめて、「健康モノ」ボックスに入れておきます。**

日頃は診察券を持ち歩かず、複数の医療機関を受診している人は、診察券をすべて並べて写真を撮っておくと、忘れた時に役に立ちます。古い診察券を捨てにくければ、写真を撮って処分しましょう。

【既往歴・アレルギー・かかりつけ医情報など】

前にも述べたように、**既往歴・アレルギー情報のうち重大な内容は、紙に書いたものを持ち歩いて、いざという時に見せられる状態にしておく**とよいでしょう。情報は写真に撮って自分でもスマホの中に持っておき、バックアップしておくと安心です。

【健康診断情報】

健康診断結果は、1回につき1クリアファイルに入れます。**重要なのはしまうことでは**

なく、データを見て対策を立てることです。結果がイエローカードだったら、迅速に受診する予定を立てたり、食生活の見直しなどに役立ててください。

特に大きな病気がない場合、健診結果で見直す予定のないものや古いものは、写真に撮って保存し、紙は処分してもよいでしょう。定年した方は、職場で健診がなくなります。お誕生日月に予約するなどと決め、受診日の管理をしてください。

【予防接種情報】

新型コロナウイルスやインフルエンザの予防接種の問診票類も保管します。予約もれを防ぐよう、**手帳やグーグルカレンダーなどに書き込んでおきましょう。**

【メガネ・補聴器・医療系健康機器情報】

メガネや補聴器は、使ってみて合わない場合、3カ月〜半年以内に購入したものなら、無料で交換してくれるところが多いです。保証書は処方箋とともに保管しておきましょう。

補聴器やコンタクトレンズ、医療系の健康機器は、レンタルやサブスク（サブスクリプション）契約が増えています。サブスクは「支払いモノ」として期日管理をしていきましょう。

【家の鍵・オートロックなどのセキュリティ情報・緊急連絡先情報など】

終活で一般的に話題になりませんが、案外重要なのが、家の鍵やオートロック情報などです。**中年以降になれば、具合が悪くなったり、突然倒れる可能性や、鍵の故障や紛失もありえます。**

オートロックの場合など、毎日使っているので暗証番号が頭に入っているという人もいるかもしれませんが、持ち家・賃貸に限らず、**家は命を包み込む「健康モノ」**としてチェックしましょう。

リスト化しておくだけでなく、信頼できる親族などに、スペアキーとともに渡しておきます。大家さんや管理組合、別のセキュリティ会社を頼んでいる場合は、緊急連絡先の情報をシェアしておくとよいでしょう。

セキュリティの高いマンションでは、エントランスやエレベーター前で3回ぐらい暗証番号を押さないと自分の家のドアまでたどり着けない、複雑な構造になっていることもあります。その場合はロックを解除すべきすべての場所の写真を撮って、写真をプリントア

「健康モノ」リスト 【記入例】

作成日：20XX年○月○日

種類	ID	パスワード	メモ
スマホ	○○○	1234	○○プラン　○年○月更新
マイナンバーカード			
健康保険証	9876-54		期限○年○月○日
年金手帳	基礎年金番号1234567890		国民年金
私的年金	△△△	○○○	iDeCo
マンション管理会社	abcde	5678	夜間・緊急電話03-1234-5678

（テンプレートは217ページ）

ウトして親族などとシェアしておくとより安心です。プリントアウトしたものは、大切に保管してください。

「健康モノ」リストをつくろう

ひと通り「健康モノ」が整理できたら、リストにしておくとさらに安心です。普通のノートや手帳でかまいません。あとで加筆しやすいように、1行くらい空けて余白をたっぷりとるのがポイントです。

本書の巻末に、「健康モノ」リストのテンプレートを載せました。こちらを参考にリスト化するか、拡大コピーするなどして活用してください。

4章

財産の「見える化」で不安が消える！「お金モノ」の整理

「お金モノ」は「資産モノ」と「支払いモノ」に分けて整理

「紙モノ」整理が重要なのは、不動産や保険、貯金など、お金に変わるものが含まれているからです。一方で、ローン契約やクレジットカードの引き落としなど、毎月支払いが発生するものもあります。

そこで**「お金モノ」の「紙モノ」整理は、「資産モノ」と「支払いモノ」とに分けて考えます。**まずは「お金モノ」の中でも、権利証や通帳など、プラスの財産で現物がある「資産モノ」からはじめていきましょう。

「資産モノ」も「支払いモノ」も、重要なポイントは、**実物を整理すると同時にリスト化すること**です。リストは手書きでもいいのですが、余力がある方、デジタルに慣れている方はデータ化してみてください。

1 「資産モノ」の「紙モノ」整理

ステップ1 「資産モノ」をひとまとめにする

大切な重要書類・貴重品をワンボックス化

まずは段ボール、ファイルボックスなどを1箱、用意してください。空の引き出しや小さめの衣装ケースでもかまいません。そこにプラスの「資産モノ」を、家中から集めて「わくわく大作戦」でワンボックス化していきます。

「資産モノ」は、現物のある、不動産、預金、証券、保険など、将来自分に何かがあったときや相続の際に必要となるモノのことです。この段階ではまだ中身を確認しなくていいので、思いつくものはいったん全部集めてみてください。

なぜひとまとめにするのかというと、重要品は重要であるがゆえに、大切に保管されていることが多いからです。日常的に見たりしないため思い違いをしていて、あると思っていたものがあるべき場所になくて探し回る、ということが往々にしてあります。**ひとまとめにするだけで、何かあったときに「ここを見れば重要品は全部ある」というゆるぎない安心感が増します。**

保険関係の書類など、重要品が必要になるときは、体力がないことが多いもの。疲れていたり体調が悪い状態で、「あれはどこだっけ？」と家中探さなくてよいと思うだけでも、ずいぶんストレスが減ります。

注意点として、重要書類や貴重品を整理していると、領収証や確定申告用の証明書などが一緒に出てくることがあります。それは「お金モノ」の中の「資産モノ」ではなく、「支払いモノ」にあたります。別のファイルボックスやクリアファイルにまとめておいてください（１０４ページ）。

また、この本で紹介する「紙モノ」整理は、賃貸あるいは持ち家を1軒所有している、一般家庭を想定しています。そのような方はだいたいワンボックスにおさまると思います。不動産のオーナーや投資をたくさんしている人、経営者の方などは、ワンボックスでは入りきらないかと思います。その場合の「紙モノ」整理は仕事の業務の1つになってくると思いますので、自分に合った収納スペースと方法で取り組むようにしてください。

「資産モノ」の保管場所

「資産モノ」をしまう場所は、泥棒が10分以上探しても見つけられない場所が理想です。**しまった場所がわからなくならないように、家族で収納場所（隠し場所）を共有しておきましょう。**

いったんひとまとめにした書類や貴重品は、ステップ5までのリスト化が終わったら、引き続き防犯対策をとってください。権利証など日頃使わないモノは火災などの災害に備えて金庫に入れたり、よく使うカード類は手元に置いたり、災害に備えてフリーザーバッグなどの防水性の高い袋に仕分けしてしまってもいいでしょう。

ステップ2 金額順に並べる

ひとまとめにした「資産モノ」は、1つ1つ中身を確認します。この際、送付状など不要なものは処分してください。金融機関からの通知などは、捨ててよいとわかっていても、最初は捨てにくいと感じることもあるかもしれません。**少しでも迷ったら、写真を撮って**

捨ててみましょう。記録に残るので安心して作業が進められます。

書類は1件ごとに、Ａ４のクリアファイルに入れます（入れられないものはそのままでも大丈夫です）。

金額順に、７つ道具のうちの1つ、ファイルボックスや引き出し、箱に入れて、「わくわく大作戦」を実行してください。

ステップ3 金額の大きい順に写真に撮る

「撮るだけでデータ化」はメリット大

これで、ほんとうに必要な「お金モノ」の「紙モノ」だけが残りました。ここからは、これらの書類を金額が大きい順に並べ、スマホで写真を撮っていきます。

金額が大きいものから写真を撮っていくことで、日時の情報が含まれたデータができあがります。スマホで撮った写真は、拡大できる点も嬉しいところ。そしてデ**ータなら、いくら増えても部屋を圧迫するようなことはありません。**

また、保険証券が3口ある場合などは、3枚まとめて写真に撮ると比較検討しやすくなります。クレジットカードならよく使う順で並べてみると、写真を撮る段階で不要なカードは解約する判断がつきます。

写真の管理は難しそう、フォルダをつくるのも面倒と思われるかもしれません。その場合は、ほかの写真と混ざらないように管理したり、撮った写真に印を付ければOKです。iPhoneなら、「お気に入り」というハートマークをつけるだけ。ワンプッシュであなたの財産がスマホの中にデータ化されます。

「重要品・貴重品」の写真データの保存法

重要品や貴重品の写真は、スマホやパソコン本体のみに入れて保存するのが一番簡単です。最近のスマホは顔認証や二段階認証になっています。

高齢の方から、スマホで写真を撮ると、全世界に貴重品の内容をばらまいてしまうことにならないかという質問を受けたことがありますが、意図的でない限りは頻繁《ひんぱん》には起こりません。

クラウドは、万が一、自分が使っているパソコンやスマホが壊れてしまった時や、災害時に、どの端末からでもアクセスができるのが最大のメリットです。

クラウドは二段階認証などが施されているので、基本的には安心ですが、通帳などのような重要品を上げることは、セキュリティ面で不安があります。クラウドの会社が倒産などしてデータを喪失してしまう可能性もゼロではありません。これだけＡＩが進化すると、今後は人類が体験したことのない想定外の事故が起こる可能性はなきにしもあらずです。スマホやパソコン本体で管理するのにとどめ、クラウドは使用しないほうが安心でしょう。

写真をたくさん撮る人は、容量の関係からクラウドの自動設定になっている人が多いので、確認の上、行うようにしてください。

データがあれば、いざという時に必要な情報が取り出せます。定期的に更新し、最新の情報をまとめておくようにしてください。

ＰＤＦ化でも、もちろんＯＫ

書類をデータ化する際、写真を撮る代わりにＰＤＦ化する方法もあります。最近はスマホのアプリで簡単にＰＤＦに変換できるようになりました。デフォルトで入っているメモや、無料のLensというアプリなどがあります。

ただし、ＰＤＦのアプリは、撮ったあとに1枚ずつフォルダの指定を聞いてきたりします。写真と比べると、保存までの動作が2、3増えたり、ＰＤＦ化の時間が多少もたつくものが多いようです。私は根がアナログ派で、余計な動作や時間がもったいないと感じるタイプなので、単純にカメラで写真を撮るのが、今のところ早くて確実だと感じています。ある程度「紙モノ」整理が進めば、多機能のアプリや、自分にとって便利なツールを選びやすくなります。新しいｉＯＳのバージョンでは、写真からテキストを読み取る機能がついており、ＰＤＦ的な機能に近づきつつあります。

今後もアンテナを張って情報収集し、自分に使いやすいアプリを見つけて試してみてください。

ステップ4 写真をプリントアウトする

プリントアウトするだけで「見える化」できる

ステップ3までに撮った「資産モノ」の写真は、すでに金額順に並んでいますので、それだけで立派なデータになっています。ここから先は、さらに自分の資産を把握しやすくしていきます。

まずは**撮った写真をプリントアウト**します。**金額が大きい順に整理されているので、自分でも重要なものが把握しやすくなります**（76ページ）。

例えば、通帳の表紙を3冊並べて撮った写真をプリントアウトした場合、写真の余白部分に、何の引き落とし口座として利用しているかなどの取引内容を手書きで記入していきます。パスワードを記入したり届出印を押しておくのもよいでしょう。

通帳の最新のページの写真をプリントアウトすれば、引き落とし日の金額の詳細、その時点での残高もわかります。写真にしるしをつけると、より「見える化」します。

もし、家にプリンターがなくてプリントアウトできない場合は、ステップ5のリスト化へ進んでください（74ページ）。

即席のエンディングノートが完成

プリントアウトした写真データを金額順にホチキスでとめれば、お金部門に特化した即席のエンディングノートに早変わりします。金額順に実物をカラーで一覧できるので、とても便利です（76ページ）。

市販のエンディングノートの場合、欄の大きさがその人の持つ預金や証券などの財産の実態に合っていないことがありますが、この方法ならノートの記入欄にとらわれることのない、オリジナルのエンディングノートが簡単に完成します。

プリントアウトしたものを、市販のエンディングノートや普通のノートに貼るのもいいでしょう。

相続対策・防災対策にもなる

「資産モノ」の中身が紙になっていれば、高齢の家族とも共有しやすくなります。

家族間で相続などデリケートな問題を抱えている場合は、残高のプリントアウトは家族に渡さず、通帳の表紙の写真だけ渡すなど、カスタマイズも可能です。

プリントアウトしたものを防災リュックに入れておけば、災害時に重要書類や貴重品を紛失した時にも役立ちます。

ステップ5 「資産モノ」を「マイリスト化」する

「資産モノ」リストの作成方法

ステップ4で「お金モノ」の写真を金額順に撮り、プリントアウトしただけで、即席のエンディングノートができあがりました。

ここからは、**自分の持っている「お金モノ」を把握するために、一覧表にして「マイリスト」をつくっていきます。**家にプリンターがなくてすぐにプリントアウトできない人も、「マイリスト」を作成しておくと便利です(77ページ)。

手書きでもOK

リストは、手近にあるノートや手帳でかまいません。最低でも、1つの案件につき1行、小さめのノートだったら1ページとってもいいでしょう。金額は常に変動しますから、書き直しがあることを前提に、前後に余白を十分にとってください。「健康モノ」リスト同様、

「資産モノ」リストのテンプレートも巻末で紹介していますので、ぜひご活用ください。

おおよその評価額を入れておく

すでに金額順になっていますので、**預金は現在の残高、株式は証券会社の評価額、土地、建物は評価額、もらえる保険の金額など、おおよそでいいので書いてみてください。**あくまでも**大まかに全体をつかむのが目的**です。保険など何口も入っている場合は、保険の中で金額の大きいモノから順に書いていきます。

固定資産税評価額は、固定資産税の納税通知書に添付されている課税明細書で確認することができますが、ここからさらに計算が必要なので、実際の売買価格とは異なります。ここでの評価額はあくまでも目安としてとらえておきます。

不動産などの評価額について査定額を知りたくなった場合は、信頼できる専門家に相談してください。無料査定と謳《うた》ったインターネットサイトで個人情報を入れてしまうと、あとで強引なセールスにあう場合や情報漏えいになることがあります。無料だからといってむやみにサイトに入力しないように注意してください。

「資産モノ」の「紙モノ」整理のやり方

①重要書類の写真を撮る。

②プリントアウトし、金額順に並べてホチキスでとめれば、
即席エンディングノートになる。
紙の余白にパスワードなどを記入したり、
届出印を押したりしておいてもよい。

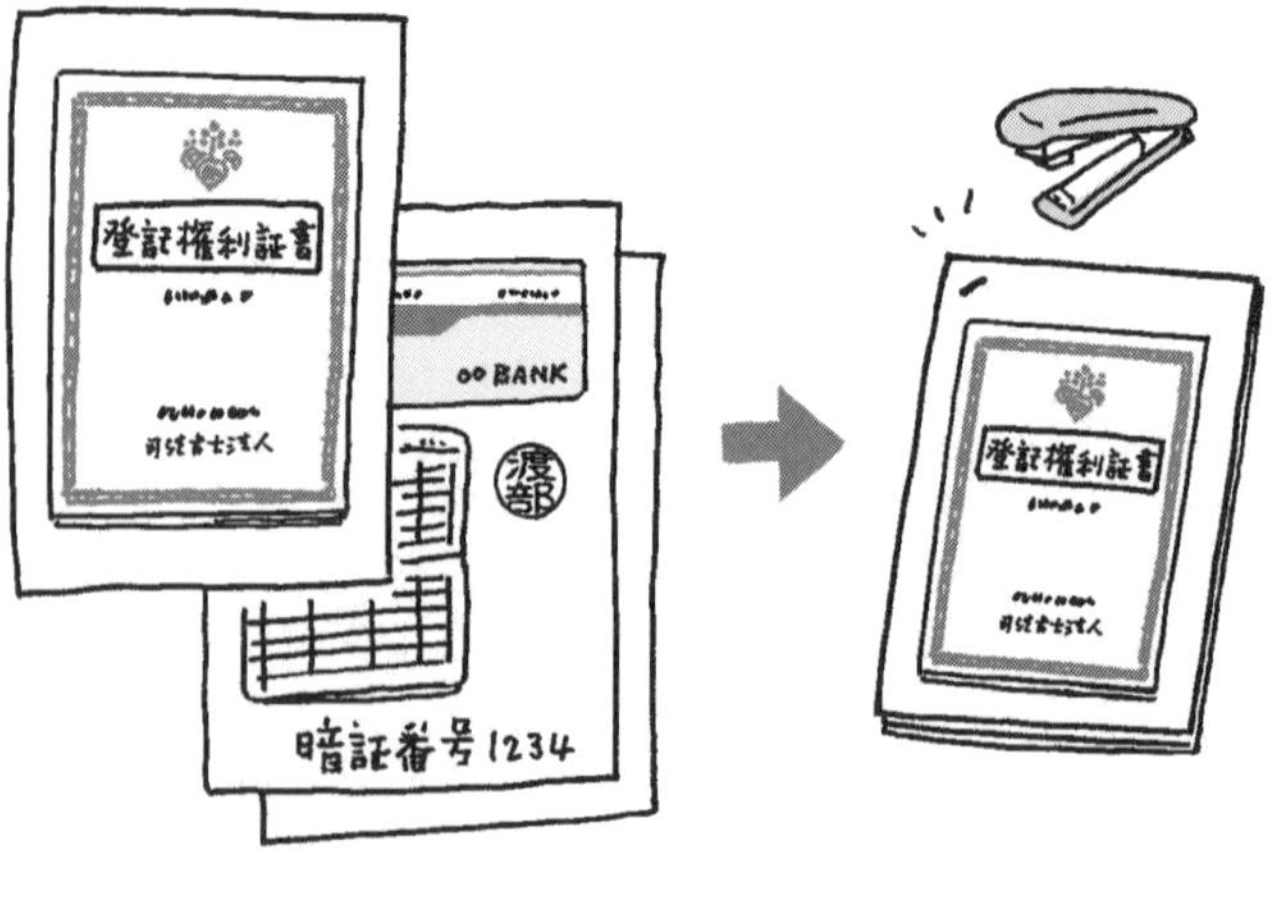

「資産モノ」リスト 【記入例】

作成日：20XX年○月○日

種類	内容等	ID・口座番号	パスワード	金額	種類	メモ
不動産(宅地)	○○区○○町○丁目○番○			¥30,000,000	自宅150㎡	共有名義(父持ち分10分の1)
不動産(建物)	○○区○○町○丁目○番○			¥15,000,000	自宅	
預貯金	○○銀行○○支店	普通1234568	1234	¥2,000,000	普通	
預貯金	△△銀行△△支店	普通7654321	5678	~~¥3,000,000~~	定期	○年△月満期　自動継続
				¥2,500,000		○年□日　減額
生命保険	○○生命	証書番号123456	efgh	¥2,000,000	死亡保険	受取人A子　期限○年○月
株式	○○鉄道(○○証券○○支店)	iopk	abdf1234	¥2,000,000	上場株式200口	配当あり
リゾート会員権	○○リゾート開発	abcd		¥3,000,000		管理費年○万円(12月支払い)
クレジット	○○カード	1234-5678-9012-3455	9012			(紛失時)TEL123-3456-7890
交通カード		ABC678-9012-3455	3456789			(紛失時)TEL456-7890-1234
パスポート						
運転免許証						

(テンプレートは218ページ)

③写真をもとに、「資産モノ」リストを作成する(パソコン作成または手書き)。
1行おきに書いていくのがポイント。
金額などの変更があったときは、前の金額は消さずに二重線で訂正。
日付も記入する。

財産目録の下書きのイメージで

リスト化のポイントは、手書き、パソコン作成のいずれも、**いきなり完璧なものをつくろうとしないことです。60代はあくまでも、プレ終活です。**長い人生ですから、いずれ残高も変動しますし、「紙モノ」整理が終わっていない段階では、あくまでも財産目録の下書きのイメージで、気軽に取り組んでみてください。

手書きで見た目がキレイでなくても、**リストを自分で作成することで、現状を把握できます。**パソコンやタブレットなら、重要度順を変更したり、カスタマイズも自在です。なによりも、作成のプロセスで頭の中も整理できて、記憶に残るというのがメリットです。

上級者はパソコンやタブレットを活用しよう

デジタルに慣れている人は、もちろんパソコンで、エクセルなどの表計算ソフトを使ってもいいでしょう。写真のデータと同様に、パソコン本体に入れておいたほうが安心です。グーグルのスプレッドシートのように、クラウドに直接入ってしまうソフトもあるので、注意してください。

最近、ｉＰａｄに、「フリーボード」という無料の純正アプリがリリースされました。手書き文字をテキストに変換したり、写真やふせんメモを貼ったりできるシンプルなソフトです。76ページのイラストにあるように、重要書類の写真を入れていけば、リアリティのあるデジタル版のノートとなります。便利なソフトを安全に楽しく活用して、自分独自のリストやメモをつくってみてください。

そのほかに、終活やエンディングノートのアプリが多数出ています。しかし現状では、必要な項目だけ入力することができず、また、アプリの使い方がわからないと余計な手間がかかり、「帯に短し襷《たすき》に長し」というものが多いようです。解約しにくい有料アプリに個人情報をまるごと入力しなければいけなかったり、セキュリティの問題も出てくるかもしれません。**プレ終活では、自分の持っているモノだけを、自分でリストにすることを第一に考えてください。**

「資産モノ」整理のポイント

それでは、具体的な「お金モノ」の「資産モノ」について、種類別に解説します。

ここでは、一般的に金額の大きい順番（不動産→預金・証券→保険→年金）で説明します。ただ、人によって持っているモノの内訳は異なりますので、**あくまでも自分が持っている「資産モノ」の順番で作業を進めてください。**

不動産関係書類一式

「売るかもしれない」という前提で保管する

不動産の書類は、今すぐ売買する予定がない場合でも、売買するというイメージでひとまとめにしておきます。そうすることで管理すべき書類がクリアになります。

権利証（登記済証）は、古い茶封筒に入っているので安心していて、いざ売ろうと思って開けたらローンの明細表だった……という話もありました。再発行的な手続きに15万円以上の手数料がかかった人もいました。泥棒に見つかるのが怖いからと、夫がスーパーのレジ袋に入れてベッドの下に隠していたら、妻が掃除の際に捨てようとして間一髪のところで捨てずにすんだ、という例もありました。封筒は必ず開けて、中身などを確認しましょう。

土地の古い権利証は、和紙に毛筆の手書きで書いてあるものもあります。特に実家を引き継いだという方は、これを機に名義を確認する意味も含めて、一字一句読んでみましょう。

買った時の金額がはっきりわかる書類があると、売却の時にスムーズです。不動産を長期にわたって持ち続けている間に、不動産会社側の保管期限が切れていたり、書類のストックがなくなったりして、パンフレット類が入手困難になることもあります。自分で保管しておく必要があります。

リフォームの履歴書類もセットで保管

案外、見落としがちなのが、**リフォームの履歴書類。屋根や水回りといった高額なリフォームなどの工事内容はとっておきましょう。**売る時にあったほうが有利です。建材の型番などは、再び直す際など、思わぬ時に役立つこともあります。ただし、リフォームの見積書はとっておく意味がないので捨ててＯＫです。

名義・持ち分の確認

不動産の名義や持ち分は、相続を受けて終わりということはなく、60代の人は今後引き

継ぐことも想定しましょう。たいてい親族間での相続になりますから、実家の書類と一緒に確認しておくことをおすすめします（185ページ）。私道などを他人と共有していることもあります。持ち分がわからないときは、謄本をとって確認しておきます。

火災保険や管理費などの通知は支払いもれのないように保管

不動産の維持管理に必要な火災保険や管理費の契約書などは、掛け捨てだったり、月払いだったりします。また、今後増額になる見込みの修繕費などもあります。支払いもれがないようにしたり、掛け捨ての保険は契約更新のたびに中身を見直すことも必要です。**見直しをしやすいように保管してください。**

実印・印鑑登録証

一番高額な財産といったんまとめる

不動産の取引には実印が必要です。**不動産が自分の一番高額な財産である方は、実印を確認して、不動産の書類と一緒にまとめてみましょう。**不動産を持たず、賃貸住宅に住ん

保管が必要な不動産書類の例

・登記済権利証もしくは登記識別情報通知
・売買契約書(買った当時の金額が証明されるため。なければ売買時に手続きが必要になることもある)
・重要事項説明書
・土地測量図・境界確認書(マンションは不要)
・図面や設備の仕様書・説明書など
・固定資産税納税通知書(支払っている人と不動産の名義が違っていないか、確認しておくとよい)
・リフォーム工事履歴の書類(領収証と一緒に保管。ただし見積書は必要ないので捨てる)
・物件のパンフレット等(当時の情報があると、売りやすくなる)
・地中埋蔵物、文化財埋蔵物の有無
・ローン残高証明書(金融機関に申し込みをすると有料でとれる。必要に応じてとる)

※不動産の書類と一緒に保管しておいたほうがいいもの
・登記簿謄本(親から相続予定で住んでいる場合などは、現在の権利関係・築年数を把握できる。法務局で入手。1通600円)

※支払いの見直しがしやすいように一緒に管理しておいたほうがいいもの
・高価な庭園設備・マンション管理費の詳細書類
・維持費等の書類・規約(マンションや町内会など)
・火災・地震保険の証券

でいる人でも、不動産会社によっては契約する時に実印を求められる場合があります。

印鑑登録したものが実印となるので、実印と印鑑登録証という自治体発行のカードが必ずあります。申請すれば、代理人などの登録もできます。

最近は印鑑不要の書類が増えていますが、それでも車の購入や家の保険の加入など、当分は取引で実印をまったく使わないということにはならないと思われます。金額の一番高い「お金モノ」の「紙モノ」と一緒に、まずはセットで確認しておくと安心です。

その上で、**契約書類や印鑑登録証と実印は、別々に保管**しましょう。泥棒が盗みにくくなります。まずは家族で現物を確認してから、隠し場所を共有しておくことが原則です。

実際には、認印や開運印と混ざってしまい、どれが実印がわからなくなったり、実印を厳重にしまいすぎて、しまった本人が隠し場所を忘れてしまったという話をよく聞きます。

ただ、日常生活では泥棒や詐欺被害に遭うよりも、相続などの場面で、実印がわからなくなる確率のほうが高いかもしれません。実印と届出印は区別して保管しましょう。

通帳・カード・届出印の3点セットで確認する

通帳・カード・届出印は、セットでまとめてみましょう。以前は通帳の表紙の裏に「副印鑑」というのを押してあり、届出印がわかりましたが、今は防犯上廃止されています。自分が思っていたハンコ（印章）と違っていたり、実印と勘違いしていないか確認しておきます。確認できたら、実印と同様に、ハンコと通帳、カードはできれば別にしまっておくほうが安心です。別にしまうときは家族と場所を確認してください。

通帳は、近い将来はなくなるか、どうしても使いたい人だけ手数料を払って発行してもらう方向に進んでいます。高齢で出歩くことが難しくなってくると、家で確認できるインターネットバンキングのほうが断然便利で使いやすくなります。60代のうちに慣れておくとよいでしょう。

通帳の保存期間

自営業やフリーランスで働いている人は、通帳を入出金の明細や領収証代わりに使うことがあります。確定申告をしている人は、7年ぐらい保管しておきましょう。

親から生前贈与を受けている場合は、通帳が証拠となることがあります。その期間のものを保存しておきましょう。**相続が何かしら絡んでいる通帳は残しておきます。**

ローンを組む時には、直近の「通帳記載情報」が必要な場合があります。住宅ローンなど審査を受ける予定がある人は、1年分ぐらい保管しておきます。

お金の出入りが記載されているので、通帳はなかなか処分しにくいと思う方もいます。そういう方は、思い出として別の箱に保管しましょう。直近のものだけ、「資産モノ」のワンボックスにまとめてください。

残高が少なく動いていない預金口座は解約

通帳は、残高が一目でわかるので予定管理や家計簿代わりになります。金額の出入りに直接内容を書き込むこともできます。この時**口座数が少ないと、自分で資産の管理が格段にしやすくなります。不要なものは解約します。**

60歳以降になったら、**年金の受け取りやクレジット決済の口座1つと、資産として持ち続ける口座の2つ程度に絞るのが理想**です。支店が統廃合されて家から遠くなり、不便さを感じているのなら、新しくネット銀行に口座を開設したり、ゆうちょ銀行にまとめるなど、見直しをしてみてください。

一般的には、1つの銀行で1000万までの預金が保護されていますから、2つの銀行に口座があれば2000万円になります。老後2000万円問題が話題になりました。仮にその理論にのっとれば、2口座あればとりあえず2000万円の枠が保証されるという考え方もできますね。

不要な通帳の処分法

通帳は、普通の紙とは材質が違います。洗濯機で回したくらいでは溶けたりバラバラにならない丈夫な紙と消えない印字でできていますので、処分に手間がかかります。

処分するときは、個人情報である、住所・氏名・届出番号・届出印・磁気テープ部分を、7つ道具の1つ、太い油性マジックペンで塗りつぶしましょう。さらに表紙部分と中身を綴じてある糸を切り、1枚ずつバラバラにしてからキッチンバサミなどで細かく切るなどして捨てましょう(52ページコラム)。

最近はネット銀行・オンライン明細などもあります。明細をオンラインに切り替え、書類をなくせば、保存期限を考えなくてすみます。

金融機関からの封筒・送付状・ＤＭは迷わず捨てる

お金に関する「紙モノ」は、カードの明細関係のほかに、金融商品の運用報告書、取引残高報告書などがあります。銀行や証券会社、郵便局のような金融機関など、いろいろなところから届きます。スタイルも、はがきや封筒、レターパックサイズのものもあり、さまざまです。厚手の封筒に「重要」「親展」などと赤字で書いてあるだけで、捨てにくくなり、封筒ごととってあるシニア宅もあります。

しかし開けてみると、単なる証券会社の店舗の移転のお知らせだった、ということもあります。**多くが、金融機関側の都合で送られてきているものです。封筒や送付状、ＤＭ類は、迷わずすぐに捨てましょう。**

万が一、ＤＭと間違えて明細等を処分してしまっても、たいていの金融機関では有料で再発行できます。ここ数年必要なかった方は、再発行が必要な確率も限りなく小さいはず。恐怖がらず、どんどん処分していきましょう。

貸金庫等の契約・鍵など

セーフティーケースや貸金庫は、**取引のある銀行でつくる方が多いので、預金と一緒に確認するとよいでしょう。**パスワードも確認します。

貸金庫の契約書、届出印や鍵、使用料などを確認します。後日でもいいので**貸金庫の中に入れてあるモノについても、写真を撮っておきましょう。**

生命保険・損害保険

受取人に内容を伝えて保管する

受取人を設定している保険の時は、受取人にも保険の内容を伝えておくことが重要です。契約していることがわからないと、いざというときに保険金の受け取りもれが起こります。**保険金が受け取れなければ、加入した意味がありません。**

保険金の受け取りには、保険証券や契約の際に使ったハンコが必要です。実印や印鑑証明が必要な場合もあります。**契約にどのハンコを使ったか、どのような場合にいくら、誰に支払われるのか確認して保管**しておきます。

おひとりさまなのに死亡保険金が高額だったり、医療保険に何口も入っている場合は、保険そのものの見直しをしてください。

保険の請求期間は、保険会社によりますが、だいたい1年から3年ぐらいです。時間がたっていても請求に対応してくれる場合があるようです。あきらめずに請求してみてください。

契約内容確認の郵便は、保存するためにあるのではなく、住所の確認だったり、新しい保険のDMの場合もあります。余計な資料や封筒などはその場で捨ててください。

約款は捨ててもいい

約款《やっかん》は加入する前に読むべきものです。解約した場合の保険会社の免責事項や保険が支払われないケースなどのように、保険会社の責任の範囲を契約者に示すためのものです。契約者に読んでもらう趣旨で編集されていませんから、細かい字で読みにくいつくりとなっています。保険会社がくれる分厚いファイルに保存している人もいますが、**とっておく必要はありません。**約款がなくても保険金は請求できます。

告知書・担当者の名刺類は写真に撮る

加入時の告知書控えや契約当時の担当者の名刺やプラン表などがあると、後になって保険を請求するときに理解を助けたり、担当者に質問しやすくなることがあります。

読まないのなら持っていても意味はないのですが、心配な人は写真を撮って捨ててもよいでしょう。

自動車の車検証・保険証券

事故に備えて、車検証や自賠責保険の証書を、一緒に車のダッシュボードの中に入れている人が多いと思います。ただし車上荒らしや盗難の心配があります。**保険証券の原本は自宅の「資産モノ」ボックスに保管しておき、コピーをダッシュボードに入れておくとよいでしょう。**

運悪く事故に遭った際でも、連絡を受けた家族が自動車保険の補償内容を確認することができ、慌てなくてすみます。

クレジットカード

なるべくまとめるのがコツ

クレジットカードは実用品なので、普段はお財布に入れて持ち歩いていると思います。逆に**持ち歩かず、眠っているクレジットカードがあれば、それは不要なもの。ワンボックスに入れずに、すぐに解約しましょう。**電話1本でできることがほとんどです。クレジットカードもまとめて使ったほうがポイントがまとまったり、余計な年会費がかからずにすみます。交通系のカードも、1枚だけと決めておくと、使った交通費が明確になります。**60歳を過ぎたら、電気代・水道代などの公共料金や各種サービスの引き落としを、1枚のカードにまとめておく**のも一案です。自分に万が一のことが起きた場合でも、残された家族がそのカード1枚を解約してしまえば、死後も余計な引き落としが続くということがなくなります。

クレジットカードが遺産となった場合、主に家族である相続人が解約手続きをすることになります。もともとクレジットカードは本人確認が厳しいので、本人以外の人が解約するには、申請書類や相続人であることの証明などが必要となり、手続きは煩雑《はんざつ》です。のちほど述べますが、IDやパスワード、年会費などをリストにまとめておき、解約手続きをとってくれるであろう「信頼できる親族」に生前から伝えておくのが理想です。

自分の管理のしやすさや、あとに残された人の手間を考えると、クレジットカードは2枚程度に絞っていくのが得策です。

期限が来た古いカードは即処分

使用期限が更新されて新しいカードが来たら、すぐに処分しましょう。いざ使おうと思ったとき、それが期限切れのものだったとしたら、カードを使えず困ってしまいます。

古いカードは、署名部分や口座情報が入っている磁気部分などに必ずハサミを入れて、細かくしてから処分します。キッチンバサミで簡単に切れます。

会員規約は事前の確認が原則

クレジットカードの会員規約は、本来は、カードをつくる手続きの前に確認するべきものです。多くは企業側の都合で送ってきます。たいてい小さな文字で書かれていてメガネが必要なこともありますが、面倒でも確認してください。

中身の確認がすめば、処分してもかまいません。ダウンロードやＰＤＦ化ができれば、「紙モノ」は処分し、データだけ残しておいてもかまいません。

引き落とし日と締め日は、手帳やグーグルカレンダー、会計アプリで管理します。

年金手帳

60歳以降は出番が増える

60代はおそらく、オレンジ色の年金手帳をお持ちだと思います。基礎年金番号は生涯、１人１つです。長生きするほどもらえますから、トータルの金額は大きいものです。

年金は相続するものではありませんが、本人にとっては生涯もらえるものなので、財産として大切に整理しておく必要があります。

２０２２年4月から、年金手帳は基礎年金番号通知書に切り替わりました。そのため、年金手帳や基礎年金番号通知書をなくした場合は、基礎年金番号通知書の再発行になります。手帳はなくさないように保管しておきましょう。

ねんきん定期便は中身を確認

ねんきん定期便は、最近1年間の年金記録などが記載され、お誕生日月に送られてくるはがきです。35歳、45歳、59歳の節目の年齢の際は、封書で詳細な定期便が届きます。

保険料納付額（累計額）、加入期間、老齢年金の種類と見込額が記載されています。ただし、加給年金や振替加算が記載されていないので、実際にもらえる額と違うことがあります。

年金の加入記録は勤務先が行うため、転職や定年で記録が動きます。特に女性は、結婚や退職、パート勤務、夫の転職などで種別の変更が頻繁に起こる場合があります。男性も60代になると、一度定年して転職する人も多いので、夫婦で確認しておくとよいでしょう。

ねんきんネットに登録すれば、納付額だけでなく、将来の受取額もインターネットで試算できます。いつでも確認できるので、ねんきん定期便は納付状況を確認したら捨てても問題はありません。

年金の受取書類

老齢年金は、いわゆる公的年金のことです。全員が受け取れる老齢基礎年金と、老齢厚生年金の2種類があります。そのほか、障害年金、遺族年金もあります。受給開始年齢に到達する3カ月前に案内書が届きます。受給には、年金加入記録を確認して、請求書を記入し、年金事務所に必要な書類とともに提出する手続きが必要です。内容を確認して手続きをしてください。

その他の貴重品

【パスポート】

パスポートは個人情報が記載されているため、大切に扱います。厳密には、期限切れになったり、本人が亡くなった場合は、国に返納することになっています。

新しくパスポートを取得したときに、パスポートセンターに古いパスポートを持参して返納するか、VOIDのスタンプや穴を開けてもらい、記念として持っておくことができます。

【運転免許証】

運転しなくても、生年月日や住所、顔写真つきの身分証明証として持つ人が多いものです。今はマイナンバーカードがありますので、**普段運転しない場合は、返納したほうが紛失などで個人情報を悪用されるリスクが減ります。**

期限内に免許更新を行わないと、運転免許は失効されます。期限をグーグルカレンダーなどに入れて管理しておくとよいでしょう。

【ゴルフ会員権・リゾートマンションの会員権】

基本的に、売買するには印鑑証明などの手続が必要です。それぞれ**買った時の領収証・売買契約書・各種の保険などがあれば、一緒にまとめておきます。**

ゴルフの会員権やリゾートマンションのように、年会費を払わないと使用する権利が失効する場合もあります。ゴルフを最近しなくなった人や、親から引き継いだ物件であまり利用しないリゾート会員権などを持っている人は、会費や管理費等の支払い状況や方法も確認しましょう。今後も持ち続けるか、検討します。

【骨董品、絵画、宝石、コイン類】

骨董品、絵画、宝石、コインなどは、証明書（鑑定書）という「紙モノ」とセットでないと、ただのガラクタになることがもあります。

証明書と現物を一緒にして写真を撮り、リスト化します。写真をプリントアウトしたら、必ず評価額も記入しておきます。**どの現物とどの鑑定書がセットなのか、わかるようにしておきます。**

評価額は自分の主観だけで決めないようにします。評価額がわからないけれど相続財産になりそうな場合は、時間のある時に調べておくといいでしょう。

もし、高額なモノでなくても、子世代に引き継いでほしいと考えるなら、引き継ぐ人にきちんと伝えて保管します。

家に飾ったりするため、現物と鑑定書を一緒に保管できない場合は、鑑定書を貴重品と一緒に保管しておきましょう。

2 「支払いモノ」の「紙モノ」整理

プラスの資産だけでなく、マイナスの資産も把握しておく

「お金モノ」の中で、**月々の支払いが発生するものは、「支払いモノ」**に分類します。「資産モノ」とは違って、権利証や預金通帳のような現物がないので、**情報をリスト化**しておきます。

万が一、自分が亡くなった場合、相続が発生します。自分の子や配偶者にメインで相続されるものと考えるとわかりやすいですね。その場合、**プラスの「資産モノ」と、ローンなどのマイナスの「支払いモノ」の両方を整理した財産目録**が必要になります。

60歳からの「お金モノ」の整理は、財産目録の作成をゴールにした下書きとして考えるとよいでしょう。「支払いモノ」リストのテンプレートは、巻末に掲載しています。

借入（ローン契約書など）

【金銭消費貸借契約書（ローン）】

住宅や車など、**ローンと名の付く場合は、必ず「金銭消費貸借契約書」というものがあります。**これは「マイナスの資産」として保管します。

変動金利の借入の場合、支払額が変わる通知が来る場合もありえます。住宅ローンのような長期のローンの場合、ほかの金融機関に乗り換えを検討することも出てくるかもしれません。過去の支払明細も、データ化してすぐ取り出せるようにして保存しておきましょう。

住宅ローンの場合は、団体信用生命保険の契約書や、火災保険の契約書もワンセットで保管しておきます。住宅取得減税用の証明書や火災保険の控除証明書は、確定申告の書類と一緒に保管してください。

60代は定年やセカンドキャリアの時期です。可能な人は、退職金での一括返済や一部繰り上げ返済も検討します。

「支払いモノ」リスト 【記入例】

作成日：20XX年○月○日

種類	金額	支払い額	支払日	メモ
住宅金融公庫	¥15,000,000	毎月返済額○万円	毎月25日	△年○月□日一部繰り上げ返済
○○生命	¥3,000,000	¥54,000(年払い)	毎年12月	20△△年○月満期
○○損保		¥30,000	毎年11月	
スマホ契約		¥4,980		スタンダードプラン
水道				
電気・ガス				
固定資産税				

（テンプレートは219ページ）

【連帯保証人関係の契約書】

連帯保証人になっている場合、支払いがないことがあるので、保証人になっていることを忘れがちです。**自分の相続人になる人に必ず伝えておきましょう。**

【賃貸住宅の書類（媒介契約書、仲介手数料請求書、管理業務委託契約書）】

マンションやアパートなどを借りている場合、契約月（退去月）は、継続したとしても更新料がかかる場合があります。**忘れないように、期日をグーグルカレンダーなどに入れておくといいでしょう。**

また、更新時には、家賃や管理費、契約内容が変更になるケースもあります。

通常の生活で生じる経年劣化などの修繕費用は、原則として大家さんが負担するものとされています。ただし、賃貸借契約で原状回復などの特約がある場合は、特約が優先されるため注意が必要です。トラブルが多いので、賃貸借契約書は借りる前や更新時によく目を通し、修理するときは確認しましょう。

駐車場などを借りている場合も、契約書を確認しておきます。

【クレジットカード】

クレジットカードの未払い分は、引き落としが終わるまでマイナスの資産となります。

日常生活での買い物程度では、借金という概念は持ちにくいかもしれませんが、一括払いであっても、**マイナス資産として、期日まで保管・管理**します。

必ず規約や契約書を確認・保管します。明細や契約書がネット上にあり、ネット上で文章を読むのに慣れていない人は、プリントアウトして契約内容を確認しましょう。

クレジットカード会社のローンやリボ払いは、利息や手数料がつく借入となります。特にリボ払いは、月々の支払いを一定額にすることができる反面、支払い期間が長期化し、利息や手数料がかさむことがあります。日頃一括払いしか使わなくても、買い物のレジで

「リボ払いで」というと、そのまま適用される場合があります。リボ払いが自動設定されるカードもあります。また、お得なポイントをつける手続きのつもりが、リボ払いになっていたという人もいました。

レジと明細でダブルチェックし、「意図しないリボ払い」に巻き込まれないようにしてください。利用している方は、不明点はカード会社に電話で問い合わせをし、なるべく早く一括返済するとよいでしょう。

光熱費

【公共料金】

公共料金は、今は電気もガスも民営化されていますので、実際には水道料金ということになります。**どのクレジットカードや通帳から、いつどのような形で引かれているか、リストに書き込んでおきます。**

水道料金の領収証は、厳密にいうと税金関係のものと同じく5年間保管するのが望ましいといわれています。ただこの5年間というのは、水道料金が高いから異議申し立てをできる期間という意味です。領収証を保管しておきなさいと国が命令しているわけではありません。ですから、使った分だけ料金が支払われていることを確認できれば、通帳引き落としであれば金額が出てきますので、捨ててもかまいません。

【電気代・ガス代】

電気・ガスの領収証の保管期限は2年が目安ですが、これも**特に料金に問題がなければ処分してもかまいません。**

ただし、昨今はエネルギー関連の値上がりが激しいので、ほかの電力会社やガス会社に乗り換えを検討する際の参考になります。また、1つのキャッシュカードにまとめたり、スマホ料金を減らすために別の会社と契約するなど、いろいろな支払い方法があります。**明細は写真に撮るなどして中身のチェックを行ってください。**

確定申告関連

【領収証】

個人事業主（自営業、フリーランス）の方は、毎年所得税の確定申告が必要です。申告の際には、支払調書などのほか、領収証も必要となります。

領収証のサイズはいろいろなので、**フリーザーバッグなどの保存袋に入れて月別に保管**したり、**クリアファイルに入れてからファイルボックスにまとめる**とよいでしょう。100円ショップの文具売り場では、いろいろなサイズの仕分け用袋が売られています。A4クリアファイルを好きな大きさに切ってもいいでしょう。

しまうファイルボックスは、ほかの書類とは混ざらないように1つ作成し、使いやすいところに置きます。毎日お財布から出してそれぞれ種類ごとに分けて整理するようにしましょう。これだけで年度末に慌てなくてすみます。

通常の買い物で生じるレシートは、毎日お財布から出して整理してください。

手書きの家計簿もありますが、電子マネーやクレジットカードと連動する、スマホの家計簿アプリを使うと便利です。アプリでクレジットカードの引き落としが確認できれば、紙の明細はその場で捨てられます。また、クレジットカードの明細は、オンラインでも確認できます。

【寄附金受領証明書、保険料控除証明書など】

会社員やパート、アルバイトの方は会社を通して納税しているので、基本的には確定申告は必要ありません。ただし、確定申告が必要になるケースもあり、代表的なものには次のようなものがあります。

・ふるさと納税（寄附金控除）
・医療費控除（107ページ参照）
・生命保険料控除、地震保険料控除
・住宅ローン控除

各自治体や保険会社などから届く受領証明書や控除用の書類が必要となります。また、会社勤めの方は源泉徴収票が必要です。

確定申告までに書類を紛失しないよう、クリアファイルなどに入れて保管しておきましょう。

【病院・薬局の領収証】

60歳以降に増える医療費については、医療費控除のファイルを別につくって、すぐにしまう習慣をつけておきましょう。

病院から帰宅したら、お薬の情報はスマホのお薬手帳のアプリ（58ページ）に入れたらすぐに処分して、**領収証と混ぜないようにしてください。**クリアファイルや保存袋を利用してください。ドラッグストアや病院までのタクシー代などの領収証もすぐにしまいましょう。

ファイルボックスを別につくってもいいでしょう。確定申告の書類のそばにしまっておくと、3月頃に慌てなくてすみます。

自分だけでなく、家族の分もまとめて医療費控除を行う場合は、家族分をまとめて保管するようにしましょう。

確定申告の書類は7年保存します。年ごとにファイルボックスをつくるとよいでしょう。申告が終われば見直すことはほぼないので、押入れの奥のほうなど取り出しにくいところにしまっても大丈夫です。

確定申告もオンラインで簡単にできるようになりました。パスワードを設定したら、6章で紹介するリストに入れておきましょう。

5章

ここまでやれば
スッキリ!
お金以外の
「書類モノ」の整理

お金以外の「紙モノ」は「自分基準」で整理する

前章までお伝えしてきた「お金モノ」の整理は、金額という**社会のものさし**で整理しました。ここからは**自分のものさし**に切り替えていきます。

お金以外の「書類モノ」に書かれた文字は、自分の頭の中の思考を体現しています。「書類モノ」の整理は、自分の心の資産の整理になります。世間の基準は置いておいて、自分にフォーカスして、楽しく取り組みましょう。

情報系の書類なら「時系列」整理がおすすめ

「書類モノ」の「紙モノ」は、**情報系が多いのが特徴です。**情報は鮮度が命。よく使うもの、すぐに返事が必要なモノほど、新しいものなのです。

そこで私は、片づけが苦手な人には、収納ワザに頼らず、**よく使うモノを手前に置く「時系列」整理**（40ページ）をおすすめしています。**新しい紙ほど上に重ねたり、手前に置く**

のがポイント。その際は1つのクリアファイルになるべく1種類の「紙モノ」を入れて整理していきます。書類は本来、立てて保管したほうが場所も取らず、見つけやすくなります。ただし、年齢を重ねてくると、クリアファイルに入れるのも面倒なくらい体力がなくなってくる可能性が高くなります。

また、**高齢になってくると細かな書類が増えてきます。**代表的なのが介護保険の書類です。そういったものは**ひたすら上に重ねて寝かして保存しておきます。**すぐに捨てられないけれど見返すこともほとんどないものは、細かく種類ごとに仕分ける必要はありません。箱などの中に時系列で重ねていき、一定期間を過ぎたら箱ごと処分しましょう。

「書類モノ」整理をラクにするヒント

最初からカテゴリーで分けようとしない

「紙モノ」があふれている家は、いろいろなところに、いろいろな種類の紙が混ざっています。

例えば、まずは思い入れの強い「趣味モノ」の書類から整理しようとすると、家全体の書類を見て、「趣味モノ」を探さなければなりません。しかし、紙に書いてある内容は細かく多岐にわたるので、複数の分野にまたがったりグレーゾーンだったりして、内容の判別に迷うことがあります。そのため、カテゴリー別に分けようとすると、その紙をどのジャンルの箱に入れるか悩んでも結論が出ず、元に戻すということも起こってきます。

まず**整理するエリアを決め、そこにある「紙モノ」を見ながら判断**してください。

大量かつ簡単に捨てられるモノから手をつける

「紙モノ」は、いるかいらないか判断するために、読み直す必要があります。とても厄介なので、**迷わず捨てられるまとまったモノがあれば、そこから手をつける**のがおすすめです。

例えば、期限切れのクーポンは日付だけ見て捨てられますね。古い旅行のパンフレットなども、捨てても失敗がないのでおすすめです。

あまり読まずに捨てられるモノから始めれば、いち早く「捨てグセ」を身につけて、爽快感を味わうことができます。そうすることで、その後の処分にもはずみがつくでしょう。

小さな「その場主義」で「紙汚屋敷化」を防ぐ

お金以外の日常の「紙モノ」は、1つ1つは些細《ささい》なものに見えても、小さな判断がもれなくついてきます。この判断がたまるほど、大きなストレスになります。

特に**体力が下降気味になる60代は、ライフステージの中で新しい習慣をつくるラストチャンスです**。日常で判断するクセ、つまり**小さな「その場主義」**を実践する習慣をつけていきましょう。この習慣が、必ず自分の味方になってくれることは間違いありません。後に自宅を「紙汚屋敷化」するのを防ぎます。

場所と時間を決めてとりかかる

実は書類などの「紙モノ」整理は、お金モノの「紙モノ」整理よりも疲れやすく、時間がかかります。「お金モノ」の「紙モノ」は判断基準が明確で、すぐ見て重要だと判断しやすいのに比べ、「書類モノ」の「紙モノ」は1枚ずつ目を通さなければいけないからです。

しかし、コツをつかめば必ず進んでいくので大丈夫。

ただし、**整理するときは、本棚1つなど、範囲と時間を決めてとりかかってください。**

1日1回、15分程度からスタートするといいでしょう。

日常モノは「ノーメガネ」収納を目指す

前章で述べた「お金モノ」の「紙モノ」の中には字が小さいものもあり、メガネをかけないとできないものもあったかもしれません。これはある程度、気合いが必要な片づけです。

しかし、**生活に溶け込んでいる「紙モノ」は、なるべくメガネがなくてもササッと片づける流れをつくっておくことが重要**になります。

簡単にしまえる場所をイメージしながら取り組んでください。

「書類モノ」整理のポイント

「書類モノ」の「紙モノ」は、よく使うモノ・整理しやすい新しいモノから、「時系列」整理でスタートしてください。

紙は自分の心を映し出しているモノ。「紙モノ」整理が進むにつれて、心が整い、自然に生活の質も整っていくでしょう。

DM・チラシ

帰宅動線で片づける

ＤＭやチラシは、「あとで」は厳禁。**ポストに投函されている「紙モノ」を取り出し、部屋で落ち着くまでの「帰宅動線」上で処理すると、散らかりを防げます。**

疲れていてもその場で処理しやすい「帰宅動線」の片づけ術をご紹介しましょう。

・玄関に個人情報を消す油性マジックペンとゴミ箱をセットしておき、部屋の中に不要なものを持ち込まない。

・帰宅したらすぐにキッチンのゴミ箱の上でＤＭを開封し、封筒や個人情報はちぎって生ゴミと一緒に捨てる。

・自宅のマンションの郵便受けに共用のゴミ箱が設置されている場合は、そこで捨ててから自宅に入る（個人情報が書かれているものは自宅で処分する）。

中身をじっくり読みたいと思うものがあっても、封筒や送付状だけでもゴミ箱にすぐに入れます。

不要な情報はノイズでしかありません。必要な情報だけをクリアファイルに入れて、引き出しやファイルボックス、本棚など適切な場所に入れるクセをつけましょう。

不要なDMはどんどん止める

一度資料を取り寄せただけの家具のパンフレット、季節の服のカタログなど、**もう買うことのないパンフレットが届いた時は、すぐにDMを止める手続きをします。**カタログには問い合わせ用の電話番号がわかりやすく書いてありますので、すぐに電話して、今後はDM不要ということを伝えましょう。

最近は、ショップではじめて買い物をするときに、新商品やセールの情報をメールや郵便で送ってもいいかと尋ねられるようになりました。もし聞かれたら、よほどのことがない限りノーというだけでも、受け身的な生活から脱出できます。

DMだけでなく、メルマガやメールの通知なども、不要なものは切るようにします。必要な情報があれば、こちらからとりにいきましょう。

ポイントカード

期限を見て捨てる

DM・チラシ類は、**中身を読まず、期限だけを見てください。**部屋に積み重なっているモノは、たいてい期限切れのことが多いです。

よく行くお店のモノは、出かける時にお財布やショッピングバッグに入れて、すぐに使う体制にしましょう。

コロナ前のものは捨てる

コロナ禍でキャッシュレス決済が加速して、ポイントカードの多くはLINEだったり、ショップ独自のアプリに変わりました。**コロナ前の紙のポイントカードは、基本的に全部捨ててください。**おそらく問題ないものばかりです。

ショップからのお知らせは、お得な情報やクーポンということで捨てられなくなる人もいます。しかしたいがいは、企業側が儲かるためのDMだったり、ショップのホームページにも出ている内容です。買いすぎを減らすためにも、基本的に迷わず処分してもいい「紙モノ」の可能性が高いです。

行きつけの現金決済のお店のスタンプカードなど、限られたものだけ持つようにします。

本・雑誌

〝積読〟の本質はサンクコスト

巷《ちまた》でベストセラーになっているので、読んだほうがいいと思って買った本を読み始めたらまったく面白くなく、〝積読《つんどく》〟状態で持ち続けていませんか。

「せっかく買った本だから、全部読んでから処分しよう」――そう思うのは、サンクコストにとらわれているからです。サンクコスト（埋没費用）とは、すでに支払ってしまって回収ができない費用のことです。

積読状態にしておくと、場所を塞ぎ、面白くない本を無理して読むという時間と労力のムダになります。一度支払った費用は回収できないので、読まない本は売ったり処分したりしたほうがお得です。

人生の時間には限りがあります。読みたくない本を読むのに時間を使うのはもったいないと思いませんか。

サンクコストから自由になり、自分の価値観でモノを選ぶことは、お金の尺度から自由になるレッスンにもなります。残りの限られた人生で、自分の大切なものだけに時間と場所とお金を投入していくためにも、不要な「紙モノ」は手放す必要があるのです。

本棚は「読みたい順」で

本棚の整理収納の方法は、単行本や文庫本などのサイズ別にする、小説や自己啓発書といったジャンルごとに分けるなどが一般的です。ただ本好きの人がこれを真似すると、あっという間に挫折してしまいます。

本好きの人は、本は持つものではなく、読んでこそ価値が上がると思っているからです。だからこそサンクコストのワナにはまってしまうのです。

本好きの人にとって今読みたい本は、こうありたい自分の姿が活字化されたものです。例えば、ダイエットしたい人はダイエット本が、起業したい人は起業家の成功本が読みたい本です。

そこで、本好きの人には、**「読みたい本」「読まなければいけない本」「思い出の本」**に分けることを推奨しています。

「読みたい本」は、人生後半に読みたいと思うものを、正直に、読みたい順に並べてみてください。一番手の届きやすい本棚の一等席に配置してください。

「読まなければいけない本」は、仕事などでマストなものだけです。読みたい本と分けることで、頭の中がスッキリします。

「思い出の本」は、かつて資格試験取得のためにがんばったときの参考書、40年ぐらい前の学生時代に使った辞書などです。もう見返すことはありませんので、思い出コーナーに移動してください。

この整理法を、本があふれて困っているという、ある60代の女性に紹介したところ、自分の読みたい本がたった3冊しかなかったことに衝撃を受けていました。それからは、ネット上の評判や友達が話題にしていた本かどうかを気にせず、本を楽しめるようになったそうです。**一番の本の整理法は、自分の気持ちに沿って並べること**なのです。

旅行ガイドブックは思い出

60代でバブルの頃を知っている人の中には、昔のガイドブックをたくさん持っている人もいます。しかし、コロナ前と後では、さまざまなことが変わってしまいました。今はもうないお店、サービスなどもあるでしょう。**思い切って処分するか、当時の思い出として、数を絞ってアルバムと一緒に保管してはいかがでしょうか。**

本を売るという選択

本を処分しようとすると、通常はサイズごとにまとめて紐で縛り、自治体の資源回収日に出すことになります。家から回収場所まで運ばなければなりませんが、結構重たいので、シニアにとっては一苦労です。

そこで私のおすすめは、**ネットで申し込める本の買取サービス**です。段ボールに詰めたら、宅配便の人に持って行ってもらえますから、すぐにスッキリ感も味わえます。

値段がつかなそうな本も引き取ってくれて、古紙としてリサイクルに回してもらえます。買取金額は寄付に回してくれる買取業者もあります。

買った値段よりも買取価格が安すぎるという方もいらっしゃいますが、今は本もモノもあふれている時代。たくさん出回っているので引き取ってくれるだけありがたいと考えてください。一度手放しても、たいていは古本屋や電子書籍で手に入るものがほとんどです。

電子書籍なら収納に悩まなくてすむ

60代の方は、本は紙でないと読んだ気がしないという人も多いかもしれませんが、**そもそも入ってくる紙を減らすには、電子書籍を選ぶのも1つの方法**だと思います。

電子書籍のいいところは、なんといっても字の大きさや行間を自分で変えられるところです。新聞や雑誌なども、必要なところだけ拡大して読めます。

本がたくさんある人は、収納場所に悩んでいるという話をよく聞きます。都心のように家賃が高いところではなおさらです。

仮に置くスペースがたくさんある人でも、「あれどこだっけ?」といって全部の本の中から探すのは至難の業です。

図書館のように分類できればいいのですが、たいがいは似たようなジャンルの本をたくさん持っているか、内容がいろいろだったりして、すぐには出てこないものです。

一方、電子書籍なら、探したい本はキーワードを入れればすぐに出てきます。なにより、収納場所の悩みがなくなります。データで持っているため、捨てるという選択肢がなくなり、全部とっておけるのです。これは本好きにはたまらないメリットではないでしょうか。

ちなみに、私が電子書籍にシフトしようと思ったきっかけは、東日本大震災の時、自宅にある本がほとんど床に落ちていたのを見たことでした。重たい本は地震がきたら命取りだと思って、かなり手放しました。

もちろん、**すべての本を電子書籍にする必要はありません。**私も出版社で働いたことがあるほど、もともとは紙の本が大好きです。今でも本は書店で出会い、手に取り、表紙や本文の紙の質、帯の文言などを五感で楽しんでいます。

大切な本は紙で持ち、長期連載のマンガなどは電子書籍にするなど、**自分に合った紙と電子の使い分け方**を考えてみてはいかがでしょうか。

取扱説明書・保証書

取扱説明書で買う前にお手入れ法を確認

洗濯機やロボット掃除機など、比較的大物の家電を買う時は、みなさんいろいろな商品と機能を比べて購入すると思います。その場合、**機能だけを比較するのではなく、ぜひ先に取扱説明書を読んでから購入を決めてください。**

主なメーカーなら、取扱説明書はたいていPDFでダウンロードできるようになっています。機能などを比較できますので、事前に読むのがおすすめです。

特に購入前に読んでおいたほうがいいと思うのは、お手入れの仕方です。私は、どっちを買うか迷ったら、お手入れが簡単でカスタマーサービスが充実しているモノを選ぶことにしています。**年齢とともに、面倒な手入れや故障への対応が難しくなってくる**からです。

シニアのお宅に伺うと、重たくて使えない多機能で高級な外国製の掃除機にもよく出会います。実際に手入れをしながら使えるかどうか、よく考えてから購入してください。

60代になったら、表面的なデザインや価格にまどわされない賢さも必要です。

大物家電の取扱説明書は、現物のそばで「フル活用」

60歳からの「紙モノ」整理では、**取扱説明書はしまわずに、家電のそばにおいて「フル活用」**が基本です。

オーブンレンジの取扱説明書はオーブンレンジの近く、洗濯機の取扱説明書は洗濯機の近くの棚に置きます。最近のオーブンは多機能化していますから、取扱説明書よりも分厚いレシピ本がついていたりします。いろいろな機能を試してください。

よく使う家電のそばに取扱説明書を置く

電子レンジやオーブン、洗濯機など、よく使う家電は、そばに取扱説明書があると、何かあったときすぐ調べられて便利。

家電本体のそばに置く理由は、もちろん使い方を覚えるためですが、それよりも大事なのは、**お手入れをして長く大切に使う**ためです。

例えばウォーターオーブンは、1日に1回の水抜きのほか、クエン酸での定期的なお手入れを推奨しています。漂白剤や酸性・アルカリ性洗剤は使わない、本体の汚れ落としにメラミンスポンジはダメだけど部品はよいとか、かなり細かく書かれています。うっかりガス台の掃除のついでに強い洗剤を使ったら、塗料がはげてしまった、といったことを防げます。

また、洗濯機の調子が悪くて、エラーコードが出る場合があります。洗濯機の横に取扱説明書をセットしておけば、すぐにエラーの内容を調べて自分で対応できますが、わからないと修理を頼むことになります。

たいていの家電は、出張修理を頼むと数千円～1万円くらいはかかってしまいます。修理を呼ぶのも、高齢になるとハードルが高くなります。壊さないように大事に使いたいものです。

保証書は、取扱説明書にホチキスでとめておきましょう。いざ修理という時にコールセンターの電話番号もすぐにわかり、慌てなくてすみます。

片づけが苦手な人や高齢者の中には、取扱説明書を読まずにいきなり使いはじめ、手入れをせず、簡単な一部の機能だけ使っている人もいます。普段から取扱説明書をしまわずによく読んで使うことは、モノを大事にして生活の質を高めることにもなるのです。

現物と別に保管しておく取扱説明書・保証書

パソコンやプリンター、持ち家の方は造り付けの家具や照明器具など、使い方がわかるものは、初期設定が終われば取扱説明書は特に必要ありません。心配なものだけ保証書と一緒にして、ＰＤＦをダウンロードして保管しておきます。

家中のものを、ここを探せば出てくるというように、1箇所にまとめておくとよいでしょう。まとめたものは**中身が見えるように、フリーザーバッグなどを活用しましょう。**

なお、保証書がなくても、領収証があれば保証期間内の修理などに対応してくれる良心的なメーカーもあります。アマゾンやヨドバシカメラのような大手通販で買うと、購入日から検索して、いつでも領収証をPDFでダウンロードできます。

すぐに捨ててよい取扱説明書や保証書もある

すべての取扱説明書をとっておく必要はありません。USBメモリやドライヤーのように、使い方が決まっているもの、外国製で何カ国語か書いてあり、分厚いばかりで中身がないものなどは、購入したその場で捨てます。

操作が簡単な家電だったら、**お手入れの仕方や故障時の連絡先のページなど、必要なところだけ写真を撮って、グーグルキープなどのスマホのメモアプリに保存しておく**というふうに、一部分だけ入れておくことができます。

300円で購入した目覚まし時計の取扱説明書と保証書をクリアファイルに入れてとってある人もいました。半年以内に壊れたとしても捨てておしまいのモノは、取扱説明書も保証書もとっておく必要はないでしょう。

スマホのように取扱説明書自体がない商品もありますから、今後はどんどんなくなっていく傾向にあるのかもしれません。

写真・アルバム

古い写真はまるごとデータ化

写真は人の顔が写っているので、捨てにくいモノです。1枚ずつ見ながら判断しようとしても、思い出ばかりが駆け巡り、選別するのはたいへんです。

ここ数年で、写真のデータ化の料金は格段に下がりました。迷わず**まとめてデジタル化するの**が片づく近道です。

「写真の整理をしなくちゃ」というプレッシャーからも、「収納場所をどうしよう」「将来、高齢者施設に入った時に写真を持っていけない」という悩みも一掃できます。

全部データにしてクラウドに保存すれば、スマホやパソコンからでも見られますし、コピーすれば家族でシェアもできます。

これから撮る新しい思い出写真も、容量の大きいクラウドに入れておくのがおすすめです。

ベストアルバムをつくろう

ある60代の女性が、自分が若い頃のお気に入りの写真をいつも持ち歩いているといって、見せてくれたことがあります。その女性は、過去の輝いていた自分が、今を生きる支えになっているのです。このように、ライフステージごとのベストアルバムを作成するのも楽しいと思います。

また、施設にいる高齢のお母さんのために、ベッドの上でも見られる軽いフォトブックを作成して喜んでもらえたという方もいました。

今はアルバムごと渡すといいショットを選んでフォトブックにしてくれるところもあります。こうしたサービスを利用するのもいいですね。

アルバムの手放し方

講演先で、「自分はもう卒業アルバムを見ることもないので、いらないと思っている。だけど、写真は、捨てられないモノの筆頭というアンケートや雑誌の特集記事をよく見る。「処分してはいけないのでしょうか？」という質問を受けたことがあります。

思い出のモノは、本人が捨ててもいいと思えば捨ててOKなのですが、人は周りが気になるものだということがよくわかるご質問でした。

あとで後悔したくないなら、神社などの写真供養に出したり、アルバムのページを自分のスマホで写真に撮ってデータ化してもいいでしょう。

昔の卒業アルバムは、名前と顔が1人ずつ出ていて、巻末に生徒の住所と氏名が載っています。個人情報部分は破いてわからないようにしてから処分しましょう。

プロに家族写真を撮影してもらう

写真は、**過去のベストショットを大事に持つ方法**と、**これから先のベストショットを作成する方法**があります。自分の過去の写真はわざわざ見ることはなく、こだわりもあまりないタイプの方は、**60歳の節目とか、子どもの結婚式や成人式で、家族揃ってプロに写真を撮ってもらう**、という記録の仕方もあります。

家族で写真を撮ると誰かがシャッターを押すので、案外みんなが揃っている写真は少ないものです。全員で撮っておいてよかったという感想をよく聞きます。

家族が集まる機会を、この先実家をどうするかといった相続関連の話をするきっかけにすることもできます。家族写真を、親の遺影に使ったという話も聞きます。おひとりさまの場合は、マイナンバー用の写真などを写真館できれいに撮るというのもおすすめです。

捨てにくい思い出の「紙モノ」

【古い手帳・日記・ノート】

古い手帳やノートなど、自分が大切でいつも見返すモノは手元にとっておいてもかまいません。**日記など見られて困るモノは随時処分しておく**ことも、大人のたしなみです。

手元に残しておく場合は、自分に万が一のことがあったとき、処分していいと子どもなどに必ず伝えておきましょう。遺された親族にとって、手書きの文字ほど処分しづらいものはありません。

手書きの何気ないメモが捨てられないという人も案外多いです。見返さなかったメモは、捨ててもいいものです。

捨てて取り返しがつかないことが心配な人は、とりあえず全部まとめて紙袋か段ボールに詰めて一時保管にしてください。半年ぐらい忘れてしまったらたいして大切ではないモノなので処分してください。自分に万が一のことがあることを想定して、**段ボールの上に、詰めた日付とあわせて「不要なメモなのでそのまま処分OK」と書いて物置などに入れておけば上出来**です。

【年賀状・手紙】

「年賀状じまい」は時代の流れです。**60歳以降は思い切って、基本的に減らしていく**ことも考えてみましょう。

仕事関係者や親戚など、送り続けたい人がいる場合は、住所などを記録できる年賀状アプリを使うとよいでしょう。喪中で出さなかった記録も入ります。スマホの年賀状も、ここ数年で格段に使い勝手がよくなりました。

古い年賀状やもらった手紙は、すでに思い出のものなので処分してもかまいません。大切な人からの大切な思い出のモノだけ、ダブルクリップやフリーザーバッグを使って大事に箱やクリアファイルに入れて保存しましょう。

【映画やコンサートの半券・旅行のリーフレット類】

映画やコンサートのチケットの半券が何カ月も部屋に放置されているのであれば、あなたの関心はその程度。ほんとうに大切にしたいなら、スクラップするとか、ファイルにしまうとか、すぐに適切な収納をしているはずですね。

楽しかった思い出は頭の中にすでに収納されています。すぐに手放してもいいものばかり。速攻で処分して、また楽しく映画やコンサートに出かけてください。

あるご高齢の親子のお宅では、数年前に行った京都のお寺のリーフレットと拝観料の半券とともに、コンビニで買ったお茶やお弁当のレシートが数枚出てきました。さすがにレシートはいらないだろうとお尋ねしたら、「旅行の思い出です」と言い切られていました。お寺のリーフレットと半券の間には、地元のスーパーのチラシから、去年の町会の草取りの案内まではさまっていました。そういうお宅は「紙汚屋敷」になる可能性大です。

思い出かも、と思ったら、頭の中では捨てなくていい理由探しが始まっています。本当にいい思い出だったら、一瞬で「これは大事!」と思うはず。ちょっとでも迷ったら、それはたいした思い出ではありません。思い出も大切な場所に置けるモノだけにしないと、ぜい肉になってしまいます。

晩年は心の荷物も軽いほうがラクです。3秒以上迷ったら、一時保管にして移動させるか、写真に撮ってさようならをしてください。

【受験票・ふせんのついた参考書など】

家にあるモノは基本的に過去のモノです。長く生きているとそれだけ過去の思い出が増えていきます。特に受験票や学生時代の参考書、資格取得のときに勉強したふせんだらけの参考書は、がんばった証です。**思い出としてとっておいてもいいでしょう。**

ただし、段ボール数箱分の問題集を全部とっておく、というのは現実的ではありません。**1、2冊セレクトして、本棚ではなく思い出コーナーに移動させましょう。**案外、思い出コーナーに移動させると作業中に気持ちが離れて、「もういらない」という人もいます。

【古い給与明細・源泉徴収票】

なぜか男性に多いのですが、入社してからの給与明細をすべてとってあるという人がいらっしゃいます。自分のキャリアの軌跡の記念に残しておいてもいいのですが、膨大な場合は、毎年4月の明細だけとっておくなど、**一部だけ残しておいたり、写真に撮って手放す方法もあります。**

源泉徴収票は会社が発行するものなので、形式上はなくしても会社が再発行できるものです。確定申告で使う人は金額を確定申告の書類に書き込んでしまえば、保管期限もありません。**とっておく場合は、確定申告の書類と一緒にしておくとよいでしょう。**

【子どもの作文・絵】

60代の方の子といえば、成人していることが多いですから、子離れしたはず……だけど、子どもの作文や絵、通信簿が捨てられないという方も多いですね。

本来は子どもの家に送って自分で処分してもらうべきものです。そうはいっても、出来のいい作品は子育ての勲章みたいなもの。**もし手元に置いておきたいのであれば、子どもの了解をとり、2〜3作品をセレクトし、小さな箱1つにまとめたいところです。**

60代になっても、子どもの作品だけでなく、子どものプリント類や学校のお知らせを全部捨てられないのなら、黄色信号です。**これからの自分の生活のためにも、過去を手放していきましょう。**

【包装紙・梱包材・紙袋・段ボール】

最近、年齢を問わずため込みが増えたな、と感じるのが、**包装紙・梱包資材・紙袋・段ボールの類**です。

理由の1つはレジ袋が有料化されたことです。必要以上の紙袋をため込む正当な理由づけになってしまっているのです。1枚5円ぐらいだったら、購入してもゴミ袋として利用すれば高くはないのですが、人はうんと損した気分になるようです。だったらムダなモノを買わないようにすればいいのですが……。

もう1つは、「不用品をいつかフリマで売るとき使うから」といった理由でとってあるケースです。メルカリなどのフリマアプリは、手続きが簡単になってきたとはいえ、きちんと梱包したり、アプリを定期的にチェックして購入者とやりとりする必要があります。スマホを使いこなせない人にとっては、いつまでたっても「いつか」になってしまいがちです。

モノを売るとき、外箱があったほうが中古品として売れるという理由でとっておく方もいます。しかし、そもそも使ってしまったものは、外箱があっても、極端に値段が上がらないともいわれています。

特に段ボールは湿気を吸い、ダニの温床にもなります。**梱包材系は、その都度購入したほうが家の中を清潔に保てると考えて、せいぜい1〜2セットぐらいにとどめておくこと**をおすすめします。

【仕事関係の資料】

60代の方のお宅では、定年して会社から持ち帰った「紙モノ」、自分の趣味などのために集めた資料が多く、ストレスになっているというケースがよくあります。さらにコロナ禍でリモートワークが増えて、仕事関係で持ち込んだモノも増えています。

整理されていない資料は、持っていても取り出すのに手間がかかります。最悪なのは、延々と資料を読み込んで探しても、ほしいものが出てこないことです。

34ページでお話ししたように、1年使わなかった書類は1%しか使わないことを考えれば、**見つからない書類は一から調べたほうが早いと考えて、早めに処分したほうがメリット大。**部屋全体も片づき、仕事の効率が上がります。

どうしても捨てられない「紙モノ」資料は、新しいモノが手前にくるように時系列で重ねていきましょう。古い資料は1年たてば捨てられるはず。毎年年度末の3月とか、大掃除の12月にまとめて捨てるとよいでしょう。

お金に余裕がある人は、**業者に依頼してまるごとPDF化**しましょう。業者に頼むまでもないという方は、新しい「紙モノ」資料がきたら、すぐにスマホで写真を撮るかＰＤＦ化し、紙はその場で捨てるようにします。日付やタイトルを入れて、フォルダ分けして保存しておきます。自分で検索しやすいタイトルをつけるのがポイントです。

データが多い人やパソコン上級者はエバーノートで整理する人が多いようです。便利なものがどんどん出てきています。**「自分基準」**でいろいろ試してみてください。

6章

今すぐ始めて
ラクになる!
「デジタル類」の整理

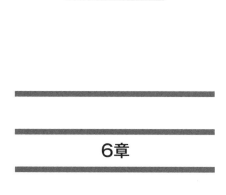

アナログ派も「デジタル類」のリスト化は必要

前章までで家にある「紙モノ」を整理しましたので、「お金モノ」の整理は、ほとんど終わった気になった方もいるかもしれません。しかしまだ「デジタル類」が残っています。

ここでいう「デジタル類」とは、**ウェブ上でお金の決済まで終わる取引全般**をさします。

今はほとんどの人は、パソコンやタブレットは持っていなくても、スマホをお持ちでしょう。そして、スマホにはいろいろな契約が紐づいています。つまり、**どんなにアナログな人でも、「デジタル」モノの整理は、マスト**ということです。

スマホやパソコンの中にあるデータは、中身が見えにくいため、遺品になると非常に厄介です。**自分に万が一のことがあったとき、「デジタル遺品」となって家族を困らせることのないよう、リスト化して管理していくことがポイント**になります。

「デジタル類」整理のコツとサブスク系サービスの注意点

コロナ禍で急にスマホ決済などを使い出した人もいますが、それでも世の中全体が一挙にデジタルに移行したわけではありません。現金しか使えないお店も相変わらずあるし、通帳のある口座とネット銀行の両方を使っていくことになるのです。自分はまだ関係ないと思っていても、知らず知らずのうちに、いろいろなサブスクなどを使っています。オンラインに移行したほうが手数料が安くなるサービスも増えてきています。

ネットネイティブではない60代にとっては、ネット上では数字を把握しづらくハードルが高くなっています。それでも「デジタル類」に慣れていくことは、世の中の流れに乗ることなので、これからの自分をラクにしてくれます。そこで、パソコンやタブレット、スマホ上でデジタル類をリスト化し、把握しておく必要があるのです。

無料期間に注意

通帳やカード明細を見て、覚えがないものが引き落とされていないか確認してください。1カ月間無料というキャンペーンで入会し、そのまま継続になっていることがあるかもしれません。**無料期間が過ぎても連絡はこないので、気づかないうちに自動的に有料会員に移行してしまうこともあります。**

サブスクは解約しづらい

サブスクに限らず、購入したり加入するのは簡単でも、解約したり処分するのはものすごく手間がかかるものです。

特にサブスクは、大手サイトでも3クリック以上しなければ解約ページにたどりつかないものもあります。メールでの問い合わせページも奥深いところにあり、電話窓口がなくて解約しづらい設計になっています。めげずに最後まで手続きをしましょう。アナログな方は、最小限、必要なものだけ加入して楽しむことを心がけていくしかありません。

長期のサブスクよりも買い切り、月払いが安全

ある医療機器のサブスクは、月々に支払う金額は非常に安いのですが、引き落としは永遠に続くということでした。自動的に解約にはならないので、もとがとれる一定期間後に解約手続きを怠ると、安いはずのサブスクがとんでもなく高いモノになることもあります。どうしても長期のサブスクに入るのであれば、期日管理はグーグルカレンダーなどデジタルを活用して徹底する必要があります。

高齢になってくると、先々まで管理が必要な長期の契約は、デジタル遺品の元になります。**多少高くても、買い切りやいつでも解約できる月払いのほうが安心です。**プレ終活の段階で、サブスクを減らしていきましょう。

アプリを削除しただけでは解約にならない

アプリをスマホ画面から削除しただけでは、支払いは継続したままです。また、スマホで加入したもので、パソコンでは解約できないサービスもあります。アプリ上で解約したら、iPhoneの場合、iOSの設定画面から必ずサブスクの解約も行うことを忘れないようにするなど、最後まで手続きが完了したことをしっかり確認しましょう。

「デジタル類」整理のポイント

少額でもすべてリスト化する

老後の不安は、お金の出入りを把握するだけでも、小さくなります。

YouTubeの有料会員、音楽やラジオの特別会員、洋服のレンタル、クリーニング、本や雑誌の購読サービス、動画配信サービス、新聞電子版、ＰＤＦサービス、有料ソフト、ホームページのレンタルサーバー、ドメインなど、**「デジタル類」でお金がかかっているものはすべてリストに入れます。**

自分が使いやすいソフトや方法で

「デジタル類」のリストを作成する際は、パソコンの場合、エクセルが便利です。エクセルは、クラウドに上げずに保存もできます。スマホにエクセルの無料版もありますが、メモアプリなどを活用してもいいでしょう。タブレットにペンで書くのもいいですね。

手書き派は、手帳や普通のノートを使ってもかまいません。その場合は書き直しや追記がしやすいように、余白をしっかりとってください。パソコンも手書きもリストの内容は同じです。

これまでご紹介してきた「健康モノ」リスト、「資産モノ」リストなどと同様に、1つのアカウントは1行で書き、余白をたっぷりとり、定期的に更新してください。作成日も入れておきます。リストは、巻末の「デジタル類」リストのテンプレートを使うか、エクセルで同様の表を作成してもいいでしょう。

「ダブル保存」でバックアップを強化

リストができあがったら、バックアップをとります。

一番簡単なのは、パソコンでリストを印刷して「紙モノ」として持つ方法です。印刷した紙は親族など信頼している人に渡し、何かあったときに開封してもらいます。

ファイルにパスワードをかけて安全を施し、データをUSBや外付けハードディスクに入れて持っていてもかまいません。ただ、USBもハードディスクも紛失しやすく、停電時に使いづらいというデメリットがあります。どんな保存方法にもメリット・デメリットがあります。**いろいろな方法を重ねてリスク回避する**しかありません。

おすすめなのは、**リストのデータと、紙での印刷と、両方持っておく**ことです。ネットがつながらない時や、IDを忘れてしまった時、相続発生時のためのバックアップとして、特に大事なところだけ紙・写真やPDFで残しておきましょう。災害などの停電時にも役立ちます。

手書きのリストの場合、コピーしたり、写真に撮ってデジタル化したりしてダブル保存

し、バックアップをとってください。

リストは共有してこそ価値が上がる

お父様を亡くした娘さんから伺ったエピソードです。いつも几帳面《きちょうめん》で終活対策はバッチリだったので、家族が安心しきっていたところ、遺されたエンディングノートがすべて暗号で書かれていて、貴重品のしまい場所もわからず苦労されたとのことでした。**暗号化のルールをつくったら、その情報を第三者にもれないように信頼できる人や家族とシェアしておくことも肝心です。**

共有しやすいのは家族のＬＩＮＥグループですが、使いやすすぎて違う人に送信、なんてこともありえます。注意してください。

誰もが悩むパスワード管理

「デジタル類」にはパスワードがつきものです。いくらたくさん財産があってもアカウントを乗っ取られたらたいへんです。パスワードを安全に管理するために、これから述べるポイントに配慮してセキュリティを強化してください。

「デジタル類」リスト【記入例】

作成日:20XX年○月○日

種類	会社名・ログインサイト	ID	パスワード	支払い	メモ
スマホ	○○・abc.com	zxcvb741	××××	毎月25日	二段階認証
パソコン	型番○○				保証期限 ○年○月
タブレット	○○				二段階認証
オンライン証券	○○証券・kabu.co.jp	asdf852	△△△△	毎月5日	
	△△銀行				
パソコンソフト	○○				
ショップ(日用品)	□□(送料無料会員)			¥3,900/年(12月)	

(テンプレートは220ページ)

一番重要なのは、**複雑なパスワードを使用することです。**

名前や生年月日など、個人の背景から推測しやすい簡単なパスワードは、ハッキングされやすくなります。8文字以上で、文字、数字、記号を含めた複雑なパスワードを使用してください。

また、**パスワードの使いまわしをしてしまうと危険**です。同じパスワードを複数のアカウントで使用しないのは鉄則です。1つのアカウントがハッキングされた場合、ほかのアカウントもハッキングされる恐れがあります。

その他の対策として、3~6カ月ごとにパスワードを変更する、二段階認証を使用する、パスワード管理ソフトを使用するといった方法が一般的にいわれています。

しかし、すべての方法が100％安全ということはありえません。**その時々で信頼できるものを選択し、パスワードを定期的に更新するなどのセキュリティ対策を組み合わせてください。**

パソコン・スマホ本体

不要なパソコンやスマホは処分する

古いパソコン、スマホは、「小型家電リサイクル法」にのっとって、なるべく早く処分しましょう。処分の前には必要なデータのバックアップをとり、保存されているすべてのデータを消去し、**初期化**する必要があります。リサイクルショップやリサイクルセンターに持ち込む場合も、**事前にデータ消去作業を行う**ことが重要です。

リネットジャパンリサイクル株式会社（https://www.renet.jp/）は、有料のデータ消去サービスもあり、「小型家電リサイクル法」の認定事業者です。条件や時期により、パソコンは無料で回収してくれることが多いです。申し込んでそのまま送付するだけなので簡単に処分できます。

定期的にパソコン・スマホの引っ越しをする

家も長く住んでいると、不要なものやゴミがたまってしまうのと同じように、パソコンやスマホも長く持ち続けると、いらないアプリやデータがたまってしまいます。最近は、新しい機種やスマホほど、セキュリティが高くなっています。**新しいモノを使うほど安心です。**

以前はスマホを買い替えると、データ移行がものすごく面倒でしたが、最近は本当に簡単になりました。特にクラウドに入れておけば、スマホもパソコンも機種が変わっても同じような環境で使い続けることができます。**新しい機種を買ったときは、必ず古いものを処分したほうがいいでしょう。**バックアップのために1台はとっておいてもいいと思うのですが、予備に2台以上持つ必要はないと思います。

大切なデータは、クラウドで引き継ぐ

ハードディスクは壊れることがあるので、パスワード以外の大事な写真などのデータは

クラウド保存が基本です。**将来、デジタル遺品になるのを防ぐためにも、引き継ぎたいもの、消去していいものに分けておきましょう。**

引き継いでもらいたいデータはリスト化して、引き継いでくれる人にログイン情報を伝えておく必要があります。家族で写真を共有する場合は、LINEのアルバム機能やクラウドの共有機能を使うと便利です。60代は頭のすみに入れておきましょう。

写真やビデオをはじめ、不要なデータやアプリは、できるだけその場で削除するクセをつけたいもの。パソコンやスマホの動きも軽くしてくれます。**削除に迷うものは、「一時保管」フォルダをつくって入れておき、定期的に見直して削除しましょう。**

メルアドは絞って持つ

メールアドレスをたくさん持っていて、どのアドレスで登録しているのかわからなくなっている人がいます。**できれば2つぐらいに集約して、スマホが壊れてもタブレットやパソコンで見られるようにしておくと安心**です。

迷惑メールはすぐにブロックしたり、不要なメルマガはすぐに登録解除をしましょう。

メールアドレスが少なければ対応しやすくなります。

迷惑メールが多すぎるときは、メールアドレスの廃止や引っ越しも検討してください。

SNS・ネット取引

SNSを含むインターネット上のサービスは、「一身専属」といって、権利や義務が当人から移転しないということを原則としています。

SNSやネット取引は、本人が亡くなってもそのままアカウントや取引が残り、非常に厄介です。**不要なアカウントはできる限り解約**しておきます。

そうでないと、遺族がそれぞれのアカウントごとに必要な書類を提出して、削除や解約を行うことになります。

本人が亡くなってからアカウントが置きっぱなしになると、アカウントの乗っ取りなどが起こることもあります。よく使うアカウントは、どのような仕組みになっているのか確認し、手続きをお願いしたい人にログイン情報を伝えておくとよいでしょう。

ネット銀行・証券・保険・暗号資産

ペーパーレスの銀行や証券、保険など

ネット銀行やネット証券は、原則として通帳のような「紙モノ」はありません。

わざわざ窓口に行かなくても、パソコンやスマホで残高確認や振込手続きができるので便利です。旧来の銀行や証券会社に比べて、手数料も安くなっています。

最近は、保険証券もペーパーレスになっている場合があります。暗号資産も、本人しかわからないものです。将来の財産目録からもれてしまいますので、必ずリスト化してください。

キャッシュレス決済

お買い物サイトのアカウント情報

よく使う買い物サイトの登録メールアドレス、引き落としカード、パスワードなどをリ

スト化します。

アマゾンのように使う人が多いサイトは、なりすましも多くなります。パスワードを時々変えるだけでなく、必ず二段階認証にしておきましょう。

送料が無料になるプライム会員の会費の引き落とし月と料金、Kindle Unlimited の会費などもリストに入れます。

アマゾンや楽天などの大手のサイトなどでは、よく買うモノを前回いつ購入したかもわかりますので、家計管理がラクです。購入日がわかれば、過去の領収証もダウンロードできます。前にも述べたように、領収証があれば、保証書がなくても無料修理の期間内であれば対応してくれるメーカーもあります。

お買い物サイトは、クレジットカードを登録することになりますから、信頼性の高いところを選びます。料金が安いところは危険なサイトもありますので、多少高くても、返品や品物が届かない時の対応を含め、安心できるサイトを選んで買い物する賢い消費者になりましょう。

1回しか使わないサイトは、クレジットカードを登録しないようにします。

明細は「支払いモノ」として管理する

クレジット会社のホームページやアプリも日々進化しています。明細は紙でもらうと有料になるカード会社が増えています。**今は紙で明細をもらっている人も、できるだけオンラインでもらうように切り替えていきましょう。**紙で見ないと家計を把握しにくい人は、プリントアウトします。

オンラインデータならＰＤＦで保存できたり、プリントアウトしたりと、融通がききます。

アカウント数を減らせないか検討する

キャッシュレス決済はカードがなく、**便利だからとたくさんつくりすぎないように注意が必要**です。

半年間入会金無料という謳い文句や、キャンペーンでポイントが割増でつくという宣伝につられてしまうこともあります。すぐに解約するつもりで入会したものの、明細も送られてこないのでつくったことを忘れて年会費だけ引かれていた、なんてことにならないようにしたいものです。カードそのものの数を減らせば管理はそんなに難しくありません。

目先の多数のポイントよりも、1枚のカードにまとめてポイントをためたほうが、長い目で見たら得なこともあります。もし何枚か必要であれば、PayPayのようなバーコード決済モノと、スマホに登録できるクレジットカードと分けて持って利便性を高めたり、食費と仕事の決済用とに分けるなど使途別にして持つ方法があります。

オンライン明細になっていないクレジットカードともあわせて、**アカウントを減らすことを意識しながら、リスト化してください。**

7章

自分も親も
これで安心！
実家の「紙モノ」整理

親が元気でも、実家の「紙モノ」整理は急務

老老介護の前の「老老片づけ」

前章までは、60歳からの「自分自身」の「紙モノ」整理についてお話ししてきました。この章では**実家、つまり「親」の「紙モノ」整理**についてお伝えしていきましょう。

なぜ、親の「紙モノ」整理を考える必要があるかというと、**いずれ必ず自分の身に降りかかってくる問題**だからです。

今はきょうだいの数が減っているので、もはや長男長女の関係なく、親の面倒を見なければなりません。さらに結婚した場合、自分の実家に加え、義実家も抱えることになります。

1章で「巻き込まれる老い」について説明しましたが、自分の老いとも闘いながら、2軒3軒の片づけを行わなければならない人も増えています。**まさに、老老介護の前の「老老片づけ」に直面しているのです。**

世代ギャップより強い「真逆の価値観」

親世代は、モノのない時代に育っているので、モノがあること自体が豊かさを示すと考えています。家は広くて、収納はあればあるほどいいのです。

なかでも「紙モノ」は、知識や情報が書かれているので、時には自分の知性を示すモノにもなります。だから、「紙モノ」を捨てるということは、取り返しのつかない悪いことのように考えがちです。

一方、子世代は、シンプルに暮らすことをよしとする時代に生きています。モノも情報もインターネットの中にあふれていることを体感しているからこそ、令和の今は、捨てることを躊躇《ちゅうちょ》することこそが悪になります。

どちらがいい・悪いという話ではなく、社会の変化によって、価値観も変化したということです。そして**親子は価値観が真逆の時代を生きている**のです。

終活に熱心な親とそうでない親

最近は、「終活」という言葉がすっかり浸透してきたようです。私はよくご高齢の方を対象に、終活をテーマにした講演をする機会をいただくのですが、参加する方の意識が高くなってきたなと感じています。新聞や雑誌でたくさん特集されたり、コロナ禍で家で過ごす時間が増えたせいもあるのでしょう。

今はまだ、熱心なごく一部の方が、身の回りの家財を自ら処分したり住み替えをしたりして、終活されている様子です。しかし高齢者は増え続けており、2025年には団塊の世代が後期高齢者になります。空き家も増える一方でしょう。

今後は同じ60代でも、生前から終活をしてくれている親を持つ人と、何もせずに売れない実家を残して亡くなった親を持つ人とで、ずいぶん差が出てくるのではないかと思います。いわば「実家格差」が広がっているのです。

日本はいわゆる「家族主義」で、相続制度がある限り、親から100%は逃げ切れない仕組みになっています。イヤになったら関係が切れる知人や、会社を辞めればつき合わなくてよい職場の同僚とは違って、影響を大きく受けます。

相続や親のケア、介護にかかる手間は膨大です。自分の終活ではなく、親の終活のほうが、自分の人生に影響を与えることも考えられます。それは財産面だけでなく、きょうだい関係や仕事、健康にも影響することがあるのです。

「紙モノ」整理は、親も自分も守ることになる

まだ実家をどうするか考えていない人、方針が決まっていない人もいるかもしれませんが、片づいていないことには、何も始まりません。なかでも、「お金モノ」の「紙モノ」整理は、親の認知症や介護のことを考えると、待ったなしです。

家全体が片づいていなくても、「紙モノ」整理ができていれば、お金や病気になったときの不安が減ります。

「親の壁」を超える！ 実家の「紙モノ」整理のコツ

どう切り出す？ きっかけづくりと会話例

実家の片づけでは、言い方を間違えたばかりに親の逆鱗《げきりん》に触れ、半年ぐらい口をきいてもらえなかったというケースも多々あります。しかし、最初のつかみさえよければ、スムーズに進むことも多いものです。

「きっかけを制すれば実家の『紙モノ』整理を制す」と思って、取り組んでみてください。

まずは観察&困りごと集めから

実家に帰省したら、まずは家の中、そして親の様子を観察してください。敏感な親の中にはチェックされたと怒る人もいますので、あくまでもさりげなく、がポイントです。「困っていることはない?」と聞いてみるのも手です。

薬が増えていたり、湿布が出しっぱなしになっていたり、宅配便で送られてきた健康食品が、玄関に段ボールに入ったまま放置されていたりしたら、健康不安があるのかもしれません。「もっと安く買えるお店を探そうか?」「お得なポイントがたまるお店を知ってるよ」などと話題にしてみます。

届いた宅配便の箱を移動させたとき、床がへこんでいたら、「リフォーム考えてみる? 保険の満期があるんじゃなかったっけ?」「床暖房の見積もりとってみる?」といった話を振ってみるのもいいでしょう。

テレビのニュースから話題を引っぱるのもおすすめです。空き家をリフォームしたカフェなどが映し出されたら、「最近空き家のニュースが多いよね」「近くも空き家になってたね」などと話してみましょう。

日本では、お歳暮のように、モノを介して気持ちを婉曲《えんきょく》的に伝える文化があります。高齢者にとって人生の終わりを連想させるデリケートなお金の話は、ストレートに話をしないで、婉曲に切り出す方法を試してみてください。

「遺言書いて」は地雷

ある男性の話です。久しぶりに東京から九州の実家に帰省しました。

帰省途中の飛行機の中で週刊誌の「相続特集」の記事を読み、「うちは大丈夫だろうか」と不安になりました。そして2年ぶりに会った80代の母親に、開口一番、「通帳はどこ？」「そろそろ遺言書いて」と言ってしまいました。案の定、烈火《れっか》の如く怒られ、ほとんど話をしないまま帰京したそうです。

お正月に帰省したとき、親族の前でお金の話をして、親にイヤがられた人もいました。いきなりタンスを開けて通帳のありかを確認するなどの行動に移すのも危険です。出入り禁止になってしまうかもしれません。

こうした言動の何が親を怒らせるのでしょうか。

親世代にとって、お金の話ははしたないことなのです。遺言は年齢的にも書かなければいけないということを、頭ではわかっているつもりでも、気持ちがついていきません。通帳や遺言書に触れられることは、残り時間を意識している高齢者にとっては〝地雷〟なのです。

ですから、**親が少しでも抵抗感を示すようなら、お金以外のモノの片づけをして、片づけが進んでからお金関連にアプローチするのが基本**です。自分も終活をしているという話をしたり、自分の財産リストを見せたりして、徐々に「紙モノ」整理をやる気になってもらうようにしましょう。

親にとって、子から命令されるのは論外です。「エンディングノート書いて」「終活して」「モノを捨てて」というのもNG。40代以降は「自分の年齢よりも2割若い」と思っていることを忘れないでください。

イヤがられたら、子ども部屋から攻略する

実家のかつての子ども部屋に、小さな頃に使っていたモノがそのまま残っていないでしょうか。今の家が狭いからという理由で、使わなくなったものを実家に送っているという話もよく聞きます。実家をトランクルーム代わりに使っていても、いつかは自分で片づけ

こんな「言い換え」ならうまくいく！

✕	○
捨てて	一時保管にしよう
汚い	コロナが心配だから清潔にしておこう
通帳どこ？	大事にしまいすぎて保管場所を忘れる人が多いらしいよ
遺言書いて	防災リュックにお金関係のリストを入れておくと安心だね
終活して	「紙モノ」整理をすると部屋が広くなるよ

る羽目になるだけです。

そこで、**親が片づけに気乗りしないときは、かつての自分の子ども部屋から整理しましょう。**

「古い通帳が出てきた」「ついでにアルバム整理をしよう」「一緒に捨てるものがあれば捨てておくよ」というふうに、「ついで」に「紙モノ」整理を提案してみます。

捨てても親のモノではないので、文句を言われることはまずありません。ほかの方法で撃沈したときも、子ども部屋の整理に戻ると、うまくいくことがあります。

親にだけ片づけを押し付けているのではなく、子自身もやっているということをアピールしましょう。

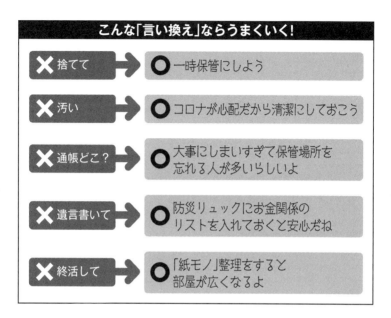

シチュエーション別・「紙モノ」整理につなげる会話例

●食事をしながら

「歯医者さんって、どこに行ってる？
そういえば内科でかかっているのは、
○○先生のところだけだっけ？」
（かかりつけ医・かかりつけ歯医者を聞いておく）

●バッグを部屋に
置きっぱなしに
していたら

「病院に行く診察券や保険証はバッグにまとめておくと
いいかもね。ついでに保険証と診察券を写真に撮って、
防災リュックに入れておくと安心だね」

●スーパーのレシートを
見ながら

「カード払いなら、
おつりの計算をしなくて
いいからラクだよね。
ついでにいらないカードを
解約しとこうか？」

●近所の銀行が
統廃合される
話題をあげて

「家から遠い口座は解約して
近くの○○銀行だけにすれば、
行きやすいよね」

●通販のカタログを
見かけたら

「捨てるのが重たくて
面倒だから、不要って
電話しておこう」

●台所で料理をしながら

「ガス台が古くなったね。
IHに変えたほうが安くて安全じゃない？
保険の満期が来たら買い替えてみたら？」

●重たいアルバムを見ながら

「私もこの写真、手元にほしいな。
1冊まるごとデジタル化すれば、
私と妹も見れるから嬉しいんだけど。
パソコンでベストアルバムもつくれるよ」

●年賀状を見ながら

「この人と、
時々会うの？」
（話すことで、親も友だちも高齢化していることを親自身が意識できる。親の交友関係もわかる）

●読まない本や雑誌があったら

「ひょっとしたら売れるかも。
売上はそのまま寄付できるから、送っておこうか？」

●古い段ボールや紙袋をためていたら

「梅雨になると、湿気でダニが増えるかもしれないよ。
必要な時に新しいのを持ってきてあげるよ」

実家の「紙モノ」は「ゆるゆる整理」でOK

実際に実家の「紙モノ」整理に着手する場合も、基本的には自分の家の「紙モノ」整理と同じです。ここでは、実家の「紙モノ」整理ならではのポイントをご紹介します。

ゴールは「わくわく大作戦」でひとまとめ

きっちりファイリングを強制したり、ラベルプリンターを使ってきれいにラベリングをしても、親世代にとっては「使えない・見えない・慣れない」の三重苦です。完璧を目指す必要はありません。**いざというときに〝超〟重要品がひとまとめになっているだけで上出来**です。

もし、親がどうしても抵抗感を示すようなら、どこに何がしまっているかを聞いて、**「資産モノ」の場所だけでも把握**しておきましょう。聞いているのといないのとでは、雲泥《うんでい》の差があります。ほかのきょうだいに聞いてもらうなど、あの手この手で取り組んでください。

情報共有で親族トラブルを回避する

「紙モノ」整理を進めていくと、親の大体の財産がわかってくるものです。きょうだいがほかにいるときは、実家の「紙モノ」整理をすることを事前に伝えておきましょう。

また、もしあなたが親から信頼されていて、通帳などを預かった場合、必ずお金の出入りをノートなどにつけて記録をとっておきます。片づけにかかった費用、交通費などの領収証を写真で残したり、ノートに貼っておいてもいいでしょう。こうすることで、あとになって「紙モノ」整理に関わっていなかったきょうだいや親族から、勝手にお金を下ろしたのではないかと疑われるのを防げます。きょうだいで一緒に作業をしたり、ＬＩＮＥなどで写真や情報を共有するのもいいでしょう。

親の心に寄り添いながら片づける、「場所別」一時保管

親は紙というだけで重要物だと思っている

「資産モノ」をひとまとめにしようとしても、部屋の隅や棚に紙がミルフィーユのように

何層にも積み重なっていたり、実家全体が「紙汚屋敷化」して、どこに何があるのかわからないこともあります。

親世代は、戦中戦後のモノがなかった時代を経験していますので、モノを捨てるということに罪悪感を持っています。また、活字信仰も強いので、文字が書いてあればすべて理解しないといけないと思って、子世代以上に捨てられなくなります。

「場所別」一時保管の実行例

60歳からの「紙モノ」整理では、モノのジャンル別にいったん集めてから、いるモノ・いらないモノを仕分けしていきました。しかし、**実家で何十年も紙が積み重なっている「紙汚屋敷」の場合は、捨てなくてもいい整理を実行するために、「場所別」一時保管を徹底し**てください。

一時保管とは、3秒以上、つまりちょっとでも迷ったものを、ひとまずとっておく方法です(34ページ)。

例えば、実家のダイニングテーブルの上を片づけると決めたら、ダイニングテーブルの上にある「紙モノ」をチェックし、封筒などは開封して、保管が必要かどうか確認していきます。親がちょっとでも捨てたくないとか、「あとでゆっくり見たい」というものがたくさん出てきますので、そういったものはまとめて一時保管の段ボールや大きなゴミ袋、実家にある紙袋などに入れてください。

一時保管にした箱や袋には、日付とともに元あった場所を書いて、親には「ダイニングテーブルの上にある郵便物で、あとで見たいものはこの中にあるよ」と伝えます。保険の証券などが出てきたら、「資産モノ」ボックスにひとまとめにします。可能なら、子のスマホで写真を撮ってください。

場所別にするのは、親が「あそこにあったアレがない」という心配をするのを防ぐためです。なんだかモノがなくなって寂しいとか、勝手に捨てられたと思われることも防げます。

一時保管の箱や袋は、納戸やかつての子ども部屋など、**使っていない部屋に移動し、できるだけ親が開けないように工夫してください。目につくと思い出して元に戻す危険があります。**

一時保管ができればよしとする

一時保管した「紙モノ」は、例えばお盆に帰省した時に整理して、半年後の年末の帰省時まで触っていなければ、捨てられるモノとして確定です。ですが、捨てるところを見ると親が何かを言ってきそうな場合は、無理に捨てようとしないでそのままにしておいてください。

一時保管として仕分けがされていれば、その後、万が一相続が発生したとき、中身をチェックせずにそのまま処分することができます。今捨てられなくてもよしとして、重要な「紙モノ」のピックアップを進めてください。

空き箱・紙袋をフル活用

実家にたまりがちな「紙モノ」といえば、空き箱・紙袋です。空き箱がある家は大体クッキーやおせんべいの缶もあって、なかには半世紀モノもあります。これらは何かに使えると思ってとってあったものです。そのような場合、**通常売られているようなファイルボックスはわざわざ買わず、実家にあるモノを活用**してください。

親世代は、60代の子ほどクリアファイルになじんでいません。使っている人もいますが、高齢になると手の指が乾燥しがちになり、めくりにくくなります。

そこで、実家の「紙モノ」整理では、Ａ４サイズの紙を広げて入れられるような空き箱や空き缶を4つぐらい用意します。親がお気に入りの箱を選ぶといいですね。

1つは**「資産モノ」**ボックス、残りの箱は、**「健康モノ」「支払いモノ」「郵便物で返事が必要そうなモノ」**などの3つくらいに分けます。仕分ける箱が多すぎると、親がわからなくなってしまいますので注意しましょう。

親には、封筒から中身を出して、空き箱や空き缶に重ねて収納するように伝えてみます。新しい習慣は身につきにくいかもしれませんが、新しい郵便や書類だけでも、届いたら順番に上に重ねて行くようにします。これで**「時系列」整理**となっているので、何かあって探すときは上から確認していけば、必要な書類を見つけやすいでしょう。

箱は、ダイニングテーブルの近くの棚など、手が届きやすい便利なところに置いてください。箱でなく引き出しなどにしてもいいでしょう。ひとまとめにして家族と共有できるようにしておくことがポイントです。

親には、子自身も重要品をひとまとめにしていることや、その保管場所を伝え、お互いにシェアすると、安心してもらえます。

実家あるある。忍法・紙袋タワー&踊り場収納

紙袋はすべてとっておくという親世代もいます。特に高級なショップで買い物をすると立派な紙袋をもらうので、それがなかなか捨てられなくなります。

家具と家具の間の隙間に紙袋が埋まっていたり、紙袋のためにわざわざ古い部屋をリフォームし、棚をつくって収納している家も見たことがあります。階段の踊り場に紙袋を入れ子のように収納し、絶妙なバランスで立っている高さ2メートルほどの巨大なタケノコ状の紙袋タワーを見たときはびっくりしました。

立派な紙袋は、捨てられない「紙モノ」を一時保管する「入れ物」として活用し、残りはほんとうの一時保管にして、使っていない部屋に移動させましょう。

実家の「紙モノ」整理がうまくいく〝順番〟

「資産モノ」がありそうなエリアからスタート

親が「紙モノ」整理をすることをＯＫしてくれたら、できれば子世代と同じやり方で、金額順に重要なものをひとまとめにしていきます。**できる限り重要な「資産モノ」がありそうな場所からスタート**しましょう。金額が大きなモノに抵抗感を示しそうな場合は、転倒の原因になりそうな床置きの新聞や雑誌などの「紙モノ」整理を手伝います。

もし、お金の話をしてイヤな顔をされたら、お金以外のモノの整理や自分の子ども部屋の整理をしましょう。**玄関など、誰が見てもきれいにしていたほうがいいところを片づけるのもおすすめ**です。

郵便物は親の情報の宝庫

お金に関する話がしにくかったら、郵便物の整理を手伝ってみましょう。

メールをあまり活用しない親は、郵便物を見れば、普段買い物をしているお店や取引銀行などがわかります。年賀状を見れば交友関係がわかります。

金融関係の通知は要チェックです。たとえ中身はＤＭでも、銀行からきたというだけで、封筒ごととってある高齢者も多いです。封筒には個人情報が記載されているので、封筒を破って捨てるのを手伝いながら、口座を確認できます。「歩いて行ける銀行に口座をまとめようか」などと提案できれば上出来です。
DMを見れば、どんな買い物をしているのかもわかります。高額なものを買っていないかもさり気なくチェックします。

親を余計な取引・被害から守る

振り込め詐欺は明らかな犯罪ですが、消費者センターには、高齢者を狙った**リフォームの悪質工事や訪問販売**といった、古典的な手法のトラブルが多数寄せられているご時世です。「着物でも古雑誌でもなんでも買い取ります」と言ってアポをとり、実際、家に入るとそういったモノには見向きもせず、金のアクセサリー類を安価で買い取るという、「**押し買い**」も問題になっています。

しっかり者の親であっても、うちだけは大丈夫と思わず、注意を払う必要があります。

ある娘さんが、父親の書斎で「紙モノ」整理をしていたときの話です。父親が「不動産を買います」というチラシや、営業マンの直筆の手紙を丁寧にとってあるのをおかしいと感じました。中身を調べたら、「古い自宅を高く買います」と言いながら、買い取る話ではなく、なんと田舎の別の土地の購入話でした。

娘さんは、親のことを心配している自分の話よりも、言葉巧みなセールスを信じていることにショックを受け、思わず父親を問い詰めてしまい、ケンカになってしまったそうです。話し合いの結果、お父さんも納得してくれて、事前に契約を止めることができたとのことでした。このように郵便物を見れば、親の暮らしぶりや行動が見えてくるのです。

私は、実家の片づけや「紙モノ」整理をしながら、親と会話をする家族が増えれば、こういった詐欺を減らせるのではないかと考えています。

「自分だけは引っかからない」という親であっても、なるべく小さな「紙モノ」からコミュニケーションをとり、「紙モノ」整理を進めていきましょう。

子の想像の斜め上を行く⁉ 親の重要品のしまい方

大事なモノほどわからなくなる

泥棒に狙われたときに、すぐに見つけられないようにするために、ハンコと重要物は分けてしまうというのが親世代のトレンドです。しかし、高齢になり自分の老いが気になってくると、**お金のことが不安になり、ハンコや通帳をしまう場所をしょっちゅう変える場合があります。**時にはしまう場所を勘違いして覚えていたり、しまったこと自体を忘れる親もいます。特に実印は、奥のほうに別にしてしまいがちで、使わないと何年も忘れていることがあります。

はじめて購入した金貨を持っているのが心配で、食器棚に隠したところすっかり忘れてしまい、20年ぶりに整理したら出てきてびっくり、というお宅もありました。

繰り返しになりますが、泥棒に入られる危険よりも、しまう場所がわからなくなる確率のほうが高いかもしれません。**〝超〟重要な「資産モノ」は、隠すよりもひとまとめにすることを提案しましょう。**

金庫あるある物語

実家に金庫がある場合は、暗証番号を聞き、一緒に開けて中に何が入っているか確認しておきましょう。金庫を買ったときについていた暗証番号の札をかけたままにしていたり、初期設定の暗証番号（例えば１２３４など）を変えずに使っていないかも見ておきます。

ある男性のエピソードです。高齢の母親が「うちの財産は金庫にある金の鶴の置物だけ。

お父さんの大事な遺品なので大切にしてほしい」と言い残して亡くなりました。

悲しみに暮れながら金庫を開けようとしましたが、暗証番号がわかりません。遺言なので仕方なく鍵師を呼びましたが、3万円以上かかったそうです。

出てきたのは、確かに鶴の置物でしたが、金ではなく、金色がはげたおもちゃでした。仕事を休んで飛行機で帰省し、鍵師を手配して金庫を開けたのに……と打ちひしがれたそうです。

ご両親が元気なときに一緒に中を確認していたら、鍵を開ける費用もかからず、笑って話せる家族の思い出になっていたかもしれません。**金庫があれば暗証番号は必ず聞いて、元気なうちに中身を確認しておきたい**ものです。

こんなところからお金が！ 親世代の現金管理の特徴

タンス預金があちこちに

高齢な方ほど、クレジットカードやスマホ決済よりも、現金信仰が強い傾向があります。

「タンス預金」というネーミングの通り、タンスに現金を持っている親は多いようです。古いタンスの中には、からくりダンスといって、持ち主が順番通りに開けなければすべての引き出しが開かないものや、奥に貴重品を隠せる引き出しがついているものがあります。祖父母から引き継いだようなタンスを処分するときは、隠しダンスの中にモノが残っていないか、確認してください。

10万円ぐらい入った郵便局の封筒が、タンスや本棚、机やテレビの周り、新聞の間にはさまったままになっていることがあります。白い封筒に入れ替えたお金が、寝室のあちこちから出てきたという例もあります。ベッドの裏や、天井裏、冷蔵庫の中などにしまい、忘れてしまう人もいます。

女性の場合は、使わないバッグの中に入れっぱなしのことも多いです。

男性は、背広の内ポケットやズボンのお尻のポケットに、お札をそのまま入れていることがあります。

亡くなった人の預金口座は、遺産分割協議がすんで金融機関で手続きが終わるまで凍結されるので、葬儀費用として手元に置いてある、という親もいます。これについては、2019年に法改正があり、一部の相続人は、手続きをすれば凍結口座から一定額までは預貯金を引き出せるようになったと話してみましょう。**親には、緊急時のために手元に現金をたくさん用意していても、火事や地震のときは紛失する可能性があるし、泥棒に狙われることもあると伝えましょう。**銀行の破綻が心配だという場合は、銀行の預金は1000万円まで保証されているので、家に置いておくほうが危険であるという話をしておきましょう。詐欺からも守れます。

また、相続のときにお得だと思って持っているタンス預金でも、相続時に申告しないと追加で課税される場合があることや、親族間でもめる原因になることも説明してください。

500円玉預金・小銭の処理方法

500円玉で10万円貯める貯金箱などには、根強い人気があります。

ただ**最近は、硬貨を預けるときに、枚数に応じた手数料がかかるようになりました。**例えばゆうちょ銀行で窓口に預けると、501枚から1000枚までは、1100円の手数料がかかります。ATMで預ける時と、窓口で預ける時の手数料も違います。かなり細かく決まっていますので、まとめて入金する時は、枚数によって一番いい預け先を検討するといいでしょう。

注意しなければいけないのは、お金の計算をするのが面倒で大きなお札を出してお釣りをもらい、あふれた小銭を身の回りに置きっぱなしにしている場合です。

自分で認知症の兆《きざ》しかもしれないと思って小銭をタンスに隠していることもあります。

現金が見つかったときは、なぜそこに置いているのかをよく観察してから話をしてください。

S字フックの「空中レジ袋収納」を軽く見てはいけない

モノが少ない時代に生まれた親世代は、いかに狭い空間にモノを詰め込むことができるかが主婦の腕の見せ所という価値観が根強いようです。そこでよく使われているのがS字フックです。壁やふすまの上などに引っかけられる万能なS字フックに、買い物でもらってきたレジ袋を引っかければ、安くてコスパのよい収納となるのです。

S字フックを引っかける場所がなくなると、クリーニングでついてきた針金ハンガーを曲げて手製の引っかけをつくり、1つの引っかけ場所を2つに増やして空中レジ袋収納をしている強者《つわもの》もいます。

それに対して子世代は、モノを減らし、なるべく空間を広げることこそが善だと思っていますので、価値観が違います。そこは世代ギャップとして互いに干渉しなければいいのですが、問題は**レジ袋の中に貴重品を入れているケースがある**ことです。

頂き物のハンカチを、もったいなくてしまっている程度ならいいのですが、パスポートや診察券、かつて使っていた母子手帳、金のネックレス、デパートの商品券、さらには封筒に入った現金など、意外なものが出てくることがあります。

床置きのレジ袋の場合、健康食品や雑貨などのように、買い物をしてそのままになっている生活用品が多いのですが、S字フックの「空中レジ袋収納」には、比較的高価なものや貴重品がしまわれていることがあります。高い場所にあって手が届かなくなり、何を入れたかを忘れて何年もたってしまうことがあります。レジ袋収納は中身が見えなくなるので、なるべくなくすことをおすすめします。

「必殺・布かぶせの術」に惑わされるな!

散らかってくると、**雑多なものを大きめのハンカチや風呂敷、シーツなどの布で隠すのも親世代の特徴**です。使わないモノにほこりがかぶらないようにという名目なのですが、隠したまま、何年もたっていることがほとんどです。「空中レジ袋収納」同様、そうしているうちに、その存在を忘れてしまいます。前に述べた「一時保管」は、この「見えないモノは忘れる」という法則を逆利用したものです。

一方で、ダイニングテーブルの上などよく使う部屋に布がかぶせてあったら、子どもたちが帰省するので慌てて片づけた（＝散らかりを隠した）可能性もあります。布の下は湯呑だけでなく、免許証や古い薬、読むのが面倒な予防接種の案内、保険の通知が隠れているかもしれません。

かぶせた布の下には、親が面倒で見たくない「紙モノ」がある可能性大です。さりげなくチェックしておいてください。

早めに確認したい、重要な「健康モノ」と「資産モノ」

「健康モノ」「資産モノ」の整理の仕方は、基本的に子世代と同じです。ここでは特に実家を片づける際に重要なポイントを中心にお話ししましょう。できるだけ親と一緒に、ひとまとめにしながら中身を確認し、話をするようにしてください。

【保険証・マイナンバーカード】

健康に直結するモノなので、最初に確認しておきます。バックアップとして写真を撮っておくとよいでしょう。

一部の医療機関では、従来の健康保険証よりマイナ保険証を利用したほうが、医療費が安くなることは、すでに述べた通りです。相続の際にもマイナンバーの番号は必要です。

【かかりつけ医情報・お薬手帳・診察券】

保険証・診察券・お薬手帳はワンセットにし、親がそのまま移動できるよう、専用のバッグに入れてもいいでしょう。中身の写真を撮っておくと、かかりつけ医の電話番号もわかり安心です。可能なら、親のスマホにお薬手帳のアプリを入れて、使えるようにしてあげるといいでしょう(58ページ)。

【不動産権利証】

親が今の家に先代から長く住み続けている場合、実家の名義が亡くなった祖父母のままになっていることがあります。**古い権利証は必ず開けて、名義も確認してください。**

2024年4月1日から、登記の申請が義務化されます。この法律によって、不動産を取得した相続人は、相続により所有権を取得したことを知った日から3年以内に相続登記の申請をしなければならないこととされました。申請をしなかった場合には、10万円以下の過料が科されることがあります。

また、原則として不動産を売却しようとする際、不動産の名義が所有者と一致していないとできません。親世代はきょうだいが多く、すでに亡くなっている方がいる場合など、手続きが難航することもあります。親が元気なうちに、相続登記をするようにお願いしてください（法務省ホームページより）。

万が一、登記をしないまま亡くなると、相続人のあなただけでなく、孫の代にも迷惑がかかるかもしれません。すでに新聞やニュースで言われていることなので、これはきっちりお伝えしていいでしょう。

【通帳・クレジット類】

古い通帳を全部とってあるのも親世代の傾向です。今使っている直近の通帳だけを〝超〟重要な「資産モノ」としてひとまとめにします。古い通帳は無理に捨てようとせず、「資産モノ」ボックスのそばに紛れないように置いておくといいでしょう。

銀行のオンライン化が進んでいない頃に、引っ越すたびに新しく口座をつくっている親もいます。**古い口座は解約し、年金の受取口座や光熱費などの引き落とし口座は、近くの行きやすい銀行に一本化するお手伝いをするといいでしょう。**

手続きの際は銀行の窓口に付き添い、代理人カード（家族カード）をつくっておけば、なお安心です。

【ハンコ】

ハンコを何本も持っている人は、どのハンコが実印で銀行印かどうかも、わからなくなっていることがあります。**「資産モノ」リストに実印や届出印を押して確認しておくとよいでしょう。**

【保険証券】

単なる通知などを全部、封筒ごととっていることがあります。**証券だけを「資産モノ」の箱に入れ、ほかのモノは一時保管にしましょう。同時に金額だけでなく保険の受取人の**

確認をしておきます。

最近は、高齢になっても加入できるものや、認知症対策の個人賠償責任保険などのセールスも頻繁に来ます。追加で不要な保険に入っていないか、高額な掛け金を払っていないか、余計な特約を付けていないかなども聞き取りをしておきます。

【貸金庫情報】

親が銀行の貸金庫やセーフティーケースを利用して、全部入れている場合もあります。**できれば一度開けるときに同行して、中身を見せてもらうと安心**です。その際は、銀行の担当者にも挨拶しておきましょう。

【お墓・仏壇】

自分の葬式の話はしづらくても、過去のお葬式やお寺の話なら、喜んで話す親は多いものです。お仏壇にお線香をあげながら、ご先祖様のお葬式の様子や費用の話をして、書類などがあれば確認するといいでしょう。

永代使用権は売買するものではなく、親族が引き継ぐものなので、どのように支払っているのか聞いて、書類をまとめておきます。

お墓の購入には相続税がかからないという宣伝を見て、親が早めに購入を検討している場合があります。税金はかからなくても、ご存命の間は維持費がかかるケースがあります。引き継ぐのは子世代ですから、**これから買いたいという親とはよく相談してください。**

また、普通は1軒の家に宗派の違う2つの仏壇を置くのは難しいので、子世代夫婦のどちらの実家の仏壇を置くのか、問題になる場合もあります。**お盆など親族が集まった時に話し合っておく必要があります。**

仏壇じまいをするときは、魂抜きをするのが一般的です。檀家になっているお寺に確認してください。

【互助会】

お葬式などをする会費制の互助会に入っている方は、契約書を重要品として保管します。

職場などでまとまって加入した場合、本人も忘れていて、家族に知らせていないことがあります。親が互助会に入っているのを知らずに、お葬式を終わらせてしまったという話も聞きます。葬式が終わったあとで気がついても、掛金の全額が返金されることは少ないようです。家族で契約内容を必ず確認し、不要であれば解約しておきましょう。

新聞、チラシ…地層化する「紙モノ」たち

百科事典、シリーズものが捨てられない

年齢が上がるにつれて出現率が高くなるのが、買った当時は高価だった百科事典です。また、全巻揃っている美術全集、手塚治虫の漫画や『暮しの手帖』などが、本棚にズラリと並んでいても、見返すことはないのですが、親にとってはどれも思い出の本なのです。むしろ、**本というよりコレクション**といったほうがいいかもしれません。

無理に捨てることはおすすめしませんが、手塚治虫の漫画のような名作は、電子書籍で読めることを説明して、売りに出すのもいいと思います。全巻揃っていて状態がいいと、普通の本よりも少しプラスして買い取ってくれます。

思い出として残したいのなら、寝室などに置くと地震などで倒れてくる危険があるので、安全なところに移動させてください。

新聞？　それとも新聞紙？

なぜか高齢の男性に多いのですが、新聞をなかなか捨てない方がいます。新聞を読んでいることは社会との深い関わりを持つことなので、すみずみまで読みたいという思いが強いようです。そういう場合は、いくらリサイクルに出して活かしましょうといっても、とっておくとおっしゃいます。しかし、サンクコスト（118ページ）のところで述べたように、**読まない新聞は「新聞紙」になってしまいます。**

以前、新聞4紙を部屋いっぱいとっていた方がいましたが、いよいよ部屋が狭くなり、畳替えを機会に廃棄物業者を頼み、処分をしました。この方は新聞の間から現金の入った封筒がいくつも出てきました。

愛着のある紙の間に現金を入れている人もいるので、処分する前の確認は必須です。

チラシは読み物

親にとって、チラシは読み物です。セールスだとわかっていても、全部目を通して、お得な情報はゲットしたいと考えています。

チラシは全部チェックしてから捨てるのですが、行くか行かないかわからないお店のものでも、生協の古いカタログでも、捨てられない人は捨てられません。

床にあるとすべって転倒の原因になるので、一時保管にして移動させましょう。

個人情報だから捨てられない!?

個人情報があるというのを言い訳にして、「紙モノ」をため込む親も多いです。

量が多いときはシュレッダーなどを使って処分していきます。シュレッダーから出た紙ゴミは、親には重たいので、捨てるところまで手伝うといいでしょう。ゴミに出せば、清掃車の中でゴチャゴチャになり、個人情報がわからなくなるという話をしてみます。

東京都内限定ですが、郵便局では、機密文書を段ボールに詰めて送ると、溶解してくれるサービスを行っています(2023年現在)。あまりにも量が多いときは、業者を探すのも一案です。

片づけをイヤがる親への対処法

親の「あとで」は永遠にこない

なかには、子に家の中を触られたくない親もいます。また、体力が低下して判断が面倒なので、「あとで」と言っていることもあります。

基本的には、**親の「あとで」は、永遠の先のばし**と受け取っておくとよいでしょう。過度な期待をかけるのは禁物です。「あとでって、いつ？」などと追い詰めたり、無理強いはしないようにします。

とりあえず、その場ではいったん引いて、後日別の方法からアプローチしたり、障壁が少なそうな「紙モノ」からはじめてみてください。

昭和の価値観を味方にする

「今は令和なのに、実家に帰ると古い価値観でつらい」という相談を受けることがあります。親世代は昭和のはじめに生まれた方ですが、その上の明治から大正時代に生まれた、祖父母からしつけを受けています。頭の中には、祖父母の明治や大正の価値観が根っこに残っていたりします。

特に首都圏以外の地方といわれるところでは、実家や財産は長男が継ぎ、娘や嫁が親のケアを担うのが当然と思っていたり、重要品もあふれるモノも周りがどうにかしてくれると思っている親もおり、こうした子世代の悩みをよく聞きます。

家族とはいえ、人の考え方は変えられません。かといってこのまま何もしないと、子が丸抱えするだけの体力や資金も減っていき、つぶれてしまいます。

そこで試していただきたいのが、昭和の価値観に寄り添ったアプローチです。

上意下達の社会（会社）で長く過ごしてきた父親や、主婦として一家の主導権を握ってきた母親の中には、子から提案されるのを好まない人もいます。モノを捨てる場合は、「役所で決めたゴミの分別はこうなっている」「新聞に書いてあった終活の方法はこうなっていた」と説明してみましょう。**〝上からの提案〟であることを強調すると、耳を傾けてくれることがあります。**「〇〇さんは入院したとき重要な書類が見つからなくて大慌てだったらしいけど、うちは大丈夫だよね」と聞いてみるのもいいでしょう。

子どもが直接関わらず外堀から埋めるほうが、波風が立たないことがあります。「世間体」を気にするタイプの場合は、親が尊敬できる人を通して、「紙モノ」整理の大切さを伝えてもらうといいでしょう。

親にメリットを感じてもらう

老い先が短いと思っている親は、「紙モノ」整理をすすめても気乗りがしません。そこで**まずはお金に関係のないダイニングテーブルやテレビ周りなど、よく目につくところの紙を撃退すると、スッキリ感を味わってもらえます。**掃除もしやすくなりますので、片づいたことのメリットを感じやすくなります。人を呼べるようになって、明るくなったという親もいます。

「紙モノ」整理を通してモノを片づけると、停電時の転倒などのリスクも減らせるので、防災面も安心だということを伝えます。

また、最近はコロナの影響で清潔志向が高まっています。

「紙モノ」は見えないダニがついたり、湿気を吸いやすいもの。

あの手この手で、「紙モノ」整理のメリットを感じてもらいましょう。

嘘はなるべくつかない

親に「これちょうだい」と言って、散らかっている実家のモノを持って帰って捨てるという人がいます。確かにそれで片づく人もいるのですが、私は基本的に嘘はつかないことをおすすめしています。

なぜなら、**親とは長いつきあいなので、子の行動や雰囲気から嘘がすぐバレることが多々ある**からです。本心でないことを言うのは、子にとっても精神的にもいいことではありません。**嘘は1つつくと、どんどん重なっていく傾向があります。**

子が「これちょうだい」と言って持ち帰って捨てたところ、あとになって親が「あなたにあげたあれはどうした」と言いだし、泥沼のケンカになってしまったという笑えない話もありました。もし持ち帰るのなら、「私は使わないけれど、ひょっとしたらほしい人がいるかもしれない。見つからなければ資源回収に出しておく」と、正直に言ってください。辻褄《つじつま》合わせの会話は疲れるだけです。自分にも他人にも正直なほうがストレスなく過ごせます。

新しい思い出に生まれ変わる

思い出を語りながら手放すと、モノを手放しやすくなります。

もったいないと言って、なんでも捨てられない親だと、例えば横向きの顔しか写っていない写真1枚でも意見が分かれ、ケンカになることがあります。

写真が小さい頃に旅行に行った時のものなら、当時の思い出話を語りながら手放すと、儀式的な要素が加わり、手放しやすくなります。**親子で「捨てた」行為も「紙モノ」整理をしたという新しい思い出に生まれ変わる**からです。

また、その際、スマホで「紙モノ」整理をしている親の写真をスマホで撮るのもおすすめです。こうすることで、また新しい親子の思い出に上書きされます。

親は「老い」の先生

親の親、つまり子から見た祖父母の時代は平均寿命が短かったので、あまり長生きはしませんでした。そして親が小さかった頃はモノが少なかったので、たくさんのモノに囲まれながら暮らす祖父母の姿を見ていません。

つまり今の親世代は、かつてないモノがあふれた社会の中で、どう「老い」と向き合うかということを、お手本なしに自ら体験している真っ最中なのです。

親は長生きすることで、大量のモノとともに老いるとどうなるかを、私たちに身をもって教えてくれているといえます。新しい技術に順応しにくくなる、体力が低下するなど、ネガティブなことを含めて、教えてくれる「先生」だと思えば、多少の頑固なこだわりがあっても、客観的に見ることができるかもしれません。

緊急時に慌てないために、準備しておきたいこと

最後に、いざ親の具合が悪くなったときや、相続が発生した時、困ることがないように、今から準備しておきたいことをお話ししておきましょう。

交友関係と緊急連絡先をつかんでおく

親が高齢になってくると、ご近所さんとの関係が肝になってきます。実家の枯れ葉が飛んだとき苦情になる前に教えてもらった、親が具合が悪くなってすぐに子が駆けつけることができないときに助けてもらった、という話を聞くこともあります。

人づきあいを好まない親の場合は、地域包括支援センターがライフラインになります。親には、今すぐ介護のお世話にならなくても、困った時に相談できると話をしておきます。

親がつくっている電話リストがあれば、友人や病院の電話番号の上のほうに、地域包括

支援センターの電話番号を加えておくといいでしょう。電話リストは、固定電話のそばに、子の電話番号と一緒に書いて貼るなどしてください。

スマホを使っている親の場合は、緊急連絡先の電話番号を登録してあげてください。その際、LINEなどでつながっている交友関係があれば、どんな知り合いがいるのかも聞いておきます。

親の写真を撮っておく

親の顔写真があると、外出時に万が一行方不明になったり、災害に巻き込まれた時、探す手掛かりとして使えます。また、遺影は宗教を問わず必要です。自分でお気に入りの写真を用意している人もいますが、いざという時に遺影がなくて慌てるのは、家族にとってつらいものです。

特に女性は、高齢になるほど写真を撮られることをイヤがる傾向があるようです。**盆暮れや親戚の結婚式など、おしゃれをして集まる時があれば、家族の思い出づくりとして、積極的に写真撮影をしておきましょう。**

本籍を確認しておく

親とお墓や預金の話をできる関係になってきたら、ぜひ本籍地の話を聞いてください。**本籍地がわかったら、子のほうでメモしておくと安心**です。

本籍地が遠方であっても、最寄りの市区町村の窓口で戸籍謄本を取得できる新たな制度が、２０２３年度中に開始されます（法務省ホームページより）。

さらに、「戸籍電子証明書」の発行も検討されています。相続というと難色を示す親には、戸籍が取りやすくなると話題にしてみてください。

親不在の実家の「紙モノ」整理の進め方

施設入所時のポイント

親が介護施設に入る際は、手続きでバタバタしますので、あとでゆっくり実家の片づけをしようと思いがちです。

しかし**入所後は、面会を優先することが多く、実家に帰る時間はあまりありません。**

子は、いつか親が実家に戻ってくることもあるかもしれないと、希望を持ち続けていることが多いものです。片づけてしまうと親が帰ってこないような気がして、片づけることに罪悪感を覚えることもあります。

その結果、片づけないでそのままにしてしまいがちなのですが、食料品は腐るので、多少賞味期限が先のものでも、早めに処分しておきます。

長期戦を想定して、明らかに不要なものを中心に片づけておくといいでしょう。

遺品整理は思った以上につらい

親が存命中に行う片づけを**生前整理**といい、亡くなると**遺品整理**になります。生前整理は親の希望を聞けますが、亡くなると意思はないので、遺族だけで整理することになります。

親と話し合いしてももめるから、亡くなってから全部捨てればいいと考えている人でも、いざ親が亡くなると、そうは言っていられなくなることがほとんどです。**存命中には捨ててもいいと思っていたガラクタ全部が、親の思い出になってしまう**からです。

特にずっと過ごしていた実家がある場合、子どもにとっては、まるごと思い出になります。悲しみが癒えるまではとっておいてもいいのですが、**時間を置きすぎると空き家になる期間が長くなり、維持管理の費用と手間が子世代の大きな負担になってしまいます。**

空き家の長期化を防ぐ

心理的な負担が大きい遺品整理は、どうしても後回しになりがちです。

また、故人が終活をまったくしていないまま亡くなると、重要品がどこにあるかわからず、すぐに業者に頼めないことがあります。その場合、遺族が家中の「紙モノ」を全部見てまわり、重要品がどこかに紛れていないか家探《やさが》しすることになるのです。

結果として、**空き家になる期間が長くなります。**持ち家の場合はあっという間に数年たち、空き家問題となることもあります。つらくてたいへんですが、実家に誰が住むか、売るのかは決まっていなくても、相続が決まったら早めに遺品整理に着手したほうが、あとあとラクになることが多いです。そして、なによりも、**生前整理や早めの「紙モノ」整理が、空き家の長期化を防ぐ決め手となる**のです。

重要品・形見の品のピックアップが鍵

遺品整理でモノを捨ててしまうと罰が当たりそうでイヤだという人がいますが、そんなことはありません。**今生きている人が幸せに生きることが、最大の供養となります。**

親が直前まで暮らしていた場合は、**すぐに食品など腐りやすいものを処分**してください。

次に、**メインの重要品**から取り掛かります。家全体をさっと見て、お金に関係するものをピックアップします。

遺品整理の段階で、ようやく郵便物から取引している証券会社や入っている保険がわかったという人もいます。想定外の取引や交友関係があるかもしれないので、特に直前の郵便物は目を通してから処分したほうがいいでしょう。

そのうえで、**形見として持ち帰るモノを選びます。持ち帰るモノは、ダンボール1箱分など、量を決めるといいでしょう。**時々、寝る場所もないぐらい自宅に持ち帰る方もいますが、日々の暮らしを圧迫するような量を持ち帰るのは本末転倒だと思ってください。

なお、家財の処分をすると相続放棄ができなくなることがありますので、注意してください。

8章

毎日が楽しくなる!
リバウンド防止&
習慣化のヒント

「紙モノ」整理のリバウンドの正体

リバウンドは「変化」から起きる

リバウンドというのは、整理が終わってきれいになったのに、しばらくすると、部屋が散らかっている状態に戻ることをいいます。

重要品のリストまでつくったあとでリバウンドしたのだとしたら、表面的な部屋の散らかりだけということになります。**リストが作成してあれば、「リバウンドは半分だけしかしていない」と、前向きにとらえてください。**

前にも述べたように、**「紙モノ」整理は、部屋の片づけの中でも一番難易度が高い**のです。

そもそも「紙モノ」は、1枚捨てる判断をしても、紙1枚しか減りません。そのため、効果が見えにくく、しかも毎日片づけたとしても、きれいな状態までたどり着くのに、時間がかかります。

しかし逆にいえば、**リバウンドするまでの時間の経過もゆっくり**です。一般的に、1日で10枚の支払い明細が積み上がるということはありませんし、1週間でチラシが100枚増えるということもほぼありません。

ＡＩの進歩でデジタル類が急に増えて整理が追いついていなかったり、親やパートナーを介護する時間が増えたせいで、処理しきれない「紙モノ」が少しずつたまってきたのかもしれません。自分の興味関心が変化し成熟した結果、別の趣味に興味を持ち、新しい「紙モノ」が増えたのかもしれません。

リバウンドの正体は「変化」です。それは**環境などの外側の変化だけでなく、自分の内面や体力的な変化もあります。**

散らかりは、健康のバロメーター

人が部屋をきれいにしようと思う時はやる気に満ちている時ですから、多少難しい片づけ方や整理の仕方をするものです。

しかし、毎日の生活の中で整理しようと思う時は、体力があったり健康な時ばかりとは限りません。**疲れた時は、ちょっとしたモノでもしまえなくなるのです。**特に中年以降は体力の低下は否めません。

こうしたときには無理は禁物。**散らかり度合いは健康のバロメーター**として、できる範囲で進めていきましょう。

整理の「ゆる度」を高めてみる

今までできていた「紙モノ」整理で、ちょっとでもうまくいかないなと思ったら、**「ゆる度」を上げる工夫**をしてください。リバウンド前に戻すように整理をするということでなく、より簡単な整理の仕方に変えていきます。

自宅の場合は、実家の「紙モノ」整理の方法にどんどん近づけていきます。クリアファイルの分類を箱に入れるようにするなど、**「ゆるゆる整理」**にしてください。実家の場合、体力がなくてもできる方法を試してみましょう。

一度決めたことが3日坊主で終わったとしたら、まだゆる度が足りないということです。もっと簡単な分類にしたり、1つの箱に紙をまとめるなど、ゆる度を高めてみてください。

「スッキリ！」が続く習慣化のコツ

誕生月・年末・年度末は「紙モノチェック」デーに

誕生日は誰にとっても特別な日です。そこで誕生月に「お金モノ」のリストを見直すようにしてみてください。預金や株式の残高も変わりますし、不要なサブスクなども解約できるでしょう。

捨てられなかった一時保管の「紙モノ」は、年末と年度末の2回、処分してみてください。

1年のうち、誕生月・年末・年度末の3回チェックすれば、大きなリバウンドは防げます。

特に「お金モノ」は常に変化します。変化するたびにリストを更新していきましょう。

不要な紙・データの即捨てを徹底

整理の仕方を変えたり、ファイルボックスの位置を変えたりしてみても、まだスッキリしないようなら、不要な紙を捨てる判断を先のばしにしているかもしれません。

しばらく見ていない、使っていない「紙モノ」は即捨てましょう。判断に迷うときは場所別に一時保管してください。

「紙モノ」はいったん捨てると取り返しがつかないような気がするし、見直しもたいへんなので、「念のためとっておく」という行為をしがちです。

紙が増えたなと思ったら、「念のため主義」に陥っていないか振り返ってみましょう。

「収納ワザ」より「習慣」をチェック

繰り返しになりますが、**60歳からの「紙モノ」整理は、ファイリングや収納自体が目的ではありません。**リバウンドしたら、**しまい方よりも、習慣に寄せた環境づくりをしていくことがポイント**となります。

疲れていると、単なるチラシでもテーブルの上につい置いてしまったり、DMの封筒をその場で捨てないなど、古い習慣がふっと出てくることがあります。

そのような場合は、「紙モノ」整理がしやすいように工夫してみます。すぐにしまえる場所に領収証ボックスを移動してみる、ゴミ箱を動線上に移動させる、引き出しではなく上から投げ込みができる箱に変えるなど、**新しい習慣が根付くようにしましょう。**

モノとのつきあい方を見直してみる

両手を広げた範囲にモノを収めていく

私が仕事で「紙モノ」整理に関わる中で感じているのは、**たいていの人は、重要な「紙モノ」はせいぜい両手を広げたぐらいしかない、**ということです。私はこれを「両手の法則」と呼んでいます。

人は見えないものは忘れてしまいますから、自分で管理できるのは、パッと見渡せる、両手を広げた範囲ぐらいです。人によって持つ「紙モノ」の量は違いますが、たいして重要でないモノがあふれている可能性が高いのです。

リバウンドしたかなと思ったら、大事なモノをセレクトし直してみてください。**特に60歳以降は、腰をかがめず、踏み台にも乗らずに届く、両手を広げた範囲、例えば、本棚1段分ぐらいに大事な「紙モノ」が収まるように、**イメージして取り組んでみるのも手です。

大事なモノは大事に持つ

散らかってしまった場合、そのへんに置いてあるモノが大事なモノだとしたら、今一度

「大事なモノは大事に持つ」という原点に戻ってみてください。

本当に大事なものだったら、置きっぱなしなどにはしないはず。雑に扱っているということは、たいして重要なモノではないということになります。

本当に読みたい本だったら、今すぐ読みますよね。積読になっているということは、いつか読もうと思う程度の本でしかないわけです。観たいテレビがあれば、わざわざ手帳にスケジューリングしなくても、時間になったらテレビをつけて観るでしょう。

そう思うと、**大事なモノは絞られてくる**と思いませんか。

数が絞られた大事なモノは、誰が見ても大事だとわかるように整理していきましょう。

モノを持つ責任を意識してみる

モノを持つことには、必ず責任が生じます。その責任には、**「個人的な責任」**と**「社会的な責任」**があります。

個人的な責任としては、所有しているモノを、適切な場所と方法を用いて保管することがあげられます。整理やメンテナンスを怠ると、モノの価値がなくなることがあります。

例えば、死亡保険に入っていても、受取人に伝わっていなかったり、加入したこと自体を忘れていたら、なかったことになります。権利証がないのに家を売却しようとしたら、共有名義になっている親族に迷惑をかけることになります。

一方、社会的な責任は、法律や社会の仕組みと関わっています。

例えば、不要になったパソコンや大量の紙をその辺に捨てると、法律違反になってしまいます。また新聞紙やペットボトルなど、一部のモノはリサイクルに回すことができ、それによって資源の有効活用につながります。SDGsが浸透してきている現代、適切なリサイクルや廃棄方法を選択することは義務なのです。

「紙モノ」に限らず、モノを持つことには、個人的な責任と社会的な責任があるということを、もっと意識するべき時代になっています。モノを適切に管理し、処分することは、自分だけでなく社会全体に関わる問題なのです。

「これから」の人生をもっと楽しむために

「紙モノ」整理は、変化の激しい社会の中で、自分の心と向き合い、自分にとって大事なモノ、コトと出会う旅、つまり**自分を好きになる旅**みたいなものです。

もしリバウンドに気がついたとしたら、それはしっかりと自分と向き合っている証拠です。「これから」したいことに焦点を合わせて、整理を繰り返していきましょう。

整理とは余分なものを捨てるという意味を含むので、ネガティブな思いを抱く人もいますが、実はその逆です。「空《くう》」をつくることなのです。

今の時代は情報があふれているからこそ、情報を持ちすぎないことが、自分基準を大切にすることにつながります。それこそが、「紙モノ」整理の目的です。

そうして**「紙モノ」整理を進めていくと、空間だけでなく、生活にもゆとりが出てきます。**

60歳を過ぎると、体力の低下だけでなく、想定外のアクシデントが起きることもあるでしょう。でも、ゆとりがあれば、社会の変化に対応したり、心の折り合いをつけやすくなります。ゆとりはこれからの人生を生きるうえでの大きな力になるのです。

「紙モノ」整理をし、今の自分にとって大切なものを選び取った先には、楽しい「これから」の人生が待っていることでしょう。

おわりに

「紙モノ」は、たとえ1枚1枚は薄くても、その人の個性や過去、興味関心が織り込まれています。実家の「紙モノ」に至っては、自分のコントロールがきかず片づける手間がかかる超難問です。

そんな複雑な背景があっても、ポイントさえ押さえれば、「紙モノ」整理は自分と向き合うイベントとして取り組むことができます。整理が進めば、年齢を重ねるという自分自身と実家の親の変化と、社会環境の変化にもしなやかに対応できる「ゆとり」が生まれるでしょう。

ＡＩの進化が目覚ましい昨今、あえて「紙モノ」整理に取り組むことは、五感を働かせて楽しむ豊かなエンターテイメントになる可能性までも秘めているかもしれません。

古い価値観と新しい価値観をあわせ持ち、デジタル化が急速に進む今だからこそ、本書を世に送り出す意義を感じています。

私が片づけの勉強を始めたのは、忙しい日々を送る中で、自宅のダイニングテーブルが郵便物などの「紙モノ」があふれかえってしまったことがきっかけでした。銀行や出版社に勤めていた頃も、学生時代も、いつも資料の整理が課題でした。根が面倒くさがりなので、少しでもラクをするために、あれこれ試行錯誤を続けてきました。

本書で紹介しているアイデアは、片づけの悩みと真摯《しんし》に向き合っている、実家片づけ整理協会の実家片づけアドバイザーの皆様と検証しながら育ててきたものです。

「いつか『紙モノ』整理についてまとめたいな」と思っていたところ、青春出版社の深沢美恵子さんからぴったりの企画をいただきました。深沢さんには、ご実家でも「紙モノ」整理を実践しながら、ご尽力いただきました。

これまで出会った皆様に、心より感謝申し上げます。

ページ数の都合で割愛した原稿や新しい情報は、協会ホームページなどにアップする予定です。今後もご縁をいただければ嬉しいです。

皆様の「紙モノ」整理が進みますように。

2023年5月　渡部亜矢

「健康モノ」リスト

作成日：　　　年　　月　　日

種類	ＩＤ	パスワード	メモ

「資産モノ」リスト

作成日：　　　年　　月　　日

種類	内容等	ＩＤ・口座番号	パスワード	金額	種類	メモ

「支払いモノ」リスト

作成日：　　　年　月　日

種類	金額	支払い額	支払日	メモ

「デジタル類」リスト

作成日：　　　　年　　月　　日

種類	会社名・ログインサイト	ＩＤ	パスワード	支払い	メモ

著者紹介

渡部亜矢　（わたなべ あや）
片づけ講師。一般社団法人実家片づけ整理協会代表理事。実家片づけアドバイザー®。銀行、出版社等を経て、片づけが苦手な人向きの講座を開講。人生100年時代の片づけ整理術、親子で取り組む生前整理、空き家になるのを防ぐ片づけ術、終活、モノとお金の整理術などを展開中。講演・メディア出演多数。筑波大学大学院修了（カウンセリング修士）。おもな著書に『人生が整う 片づけの基本』（ディスカヴァー・トゥエンティワン）、『プロが教える 実家の片づけ』（ダイヤモンド社）、『カツオが磯野家を片づける日』（SBクリエイティブ）などがある。

一般社団法人　実家片づけ整理協会
https://jikka-katazuke.jp/

「これから」の人生《じんせい》が楽《たの》しくなる！
60歳《さい》からの「紙《かみ》モノ」整理《せいり》

2023年６月30日　第１刷
2023年11月30日　第３刷

著　　者　渡《わた》部《なべ》亜《あ》矢《や》

発 行 者　小澤源太郎

責任編集　株式会社 プライム涌光
電話　編集部　03(3203)2850

発 行 所　株式会社 青春出版社
東京都新宿区若松町12番１号 〒162-0056
振替番号　00190-7-98602
電話　営業部　03(3207)1916

印　刷　中央精版印刷　　製　本　フォーネット社

万一、落丁、乱丁がありました節は、お取りかえします。
ISBN978-4-413-23311-8 C0077